人と食材と東北と

つくると食べるをつなぐ物語

はじめに

スーパーマーケットに行くと、未だに値段で食べものを選んでいる自分がいる。なぜなら、それしか判断基準がないから。結果、安ければ安いほどいいとなる。でも、東日本大地震の被災地で出会い、知り合いになった漁師が育てた食べものは、スーパーより多少高くてもその人の言い値で買ってもいいと思える自分がいる。それは、その漁師が〝かけた手間〟と〝こめた思い〟を知ってしまったから、つまり値段以外の価値基準を手に入れてしまったから。

東北の被災地へボランティアに駆けつけた都市住民も同じようなことを言っていた。僕みたいな人間が増えていけば、食べものをつくる人が食べられないなんていう悪い冗談がまかり通る社会が変わっていくんじゃないか。

そう思い、8年前に『東北食べる通信』を創刊した。その後、食べる通信は共感の輪を広げ、全国各地に横展開していった。そしてついには海を渡り、台湾でも創刊されることになった。

食べる通信は、私たち消費者が「食べものをつくる世界」に参画する回路を開いた。海や土などの自然が生み落とし、哲学や思いを持って生産者が育てる食材が食卓に届くまでのプロセスを共有し、いろいろな形で参画していく。そのかたちには、知る、買う、学ぶ、交流する、体験する、応援するなどがある。これらの参画を通じて、断絶していた「つくる」と「食べる」をつなぎ直していく。

これまでの消費社会には、このつながりが抜け落ちていた。そこにあるのは、単なるお金と食べもののやりとりだけ。生活とは、活かして生きる、と書く。食べものをつくった生産者と自然に感謝し、料理し、食し、会話を楽しみ、生活を豊かに彩る。つながりが回復すれば、「消費者」は「生活者」に変わる。あのとき、東北の被災地で命綱となった、人も、海も、土も、支え合って生きる世界を、食べる通信を通じて日本中に広げていきたい。その一念でこれまで発刊を続けてきた。

3・11から10年の節目を迎えるにあたり、これまで『東北食べる通信』が伝えてきた東北6県の生産者、自然、食材の魅力を一冊の本にまとめることになった。これまで毎月、新しい生産者を取材し、情報誌を制作し、食材をセットにして購読者の方々に届けるという仕事を続けてきてくれたスタッフには頭が下がるが、その私たちの想いに共感していただいた「オレンジページ」さんのご協力をいただき、無事に発刊できることに感謝を申し上げたい。そして、私たちの豊かな食生活を支えてくれている日本中の農家さん、漁師さん、そして自然に、改めて感謝の気持ちを込めて。

『東北食べる通信』創刊編集長　高橋博之

本書は『東北食べる通信』2013年8月号～2018年10月号に掲載された記事から一部を抜粋し、加筆や新たな内容を追加し、再編集したものです。内容については、取材当時のものです。

目次

第4章　ともに生きる

第1章　大地と向き合う

命のサイクルを象徴するわらび

岩手県西和賀町小繋沢集落のみなさん

　岩手県と秋田県との県境に位置し、三方を奥羽山脈に囲まれる岩手県西和賀町は、東北屈指の豪雪地帯だ。冬季は2メートル以上の積雪となり、今季の累積降雪量は12メートルを超えた。国の豪雪地帯対策特別措置法に基づく特別豪雪地帯に指定されている。

　高齢化、過疎化も著しい。昭和30年代に2万人を超えていた人口は、7000人を割るまでに激減している。4月上旬に西和賀を訪れたとき、屋根に積もった雪の重みで押しつぶされた民家があったが空き家だった。誰も住んでいない家は暖まらないので、屋根の雪が解けない。こうした空き家も増える一方だ。

飢饉と凶作の歴史

　一年の半分を雪に閉ざされる厳しい自然環境。植物が生きることを許されない死の世界を、西和賀の人々は生き抜いてきた。どうやって冬を越すか、が生死を分ける最大の関心事であった。そして、雪解け後も、飢饉や凶作が容赦なく襲ってきた。食べることは、生きることそのものだった。山菜料理に詳しい西和賀在住の小林輝子さん(80)は「山菜は捨てるところがない。他の地域では捨てるようなところも、ここではどうやって食べるか、保存するかを常に考えてきた。そうして豊かな食文化が育まれてきた」と、語る。

　かつて主食とされたのは、コメ、ヒエ、アワなどの穀物。主食に準じるものとして食べられたのが、ソバ、アズキ、カボチャ、ジャガイモ、唐黍、しだみ(ミズナラのドングリ)だった。米は年貢として納めるか換金のため売ったので、農家の口にはほとんど入らず、ヒエやアワを食べた。さらに、これらの穀物を節約するために、大根を細かく刻んで混ぜる「かで飯」

1 瀬川然さん（左）と、住民たちが考案した「ふるさと宅急便」で販売している大根の一本漬けをつくっているパートの高橋芳子さん。2 春を迎えた西和賀。（写真：瀬川強）3 小繁沢集落の高橋区長の自宅前を流れる用水路。4月17日、ばっけが生えていた。

で腹をふくらませた。秋に収穫した大根は食べる分だけ家に蓄え、それ以外は外の土に埋めて保存した。凶作の年には、わらびの根っこから採る根花（ねばな）を救荒食とし、命をつないだ。

雪解けで爆発する命

　今も、西和賀の人々にとって、春は心と命を踊らせる季節だ。西和賀産業公社で栽培わらびの出荷を担当している瀬川然さん(23)は「春がくるとうれしくてたまらない」と、表情を緩める。西和賀は、春の日差しが強いことで知られる。雪解けも一気に進む。農道の側溝からあふれた雪解け水は乾いたアスファルトを濡らし、川の流れも勢いを増す。植物たちも一斉に芽吹き始める。至るところに様々な種類の山菜が生えている。どこに目を向けても、必ず何かが生えている。山菜は、ブナなどの広葉樹がたくさんあるところに生えやすい。光をたくさん浴びた葉っぱが落ちるとやがて腐葉土になり、山菜を育てる豊かな土壌になるのだ。

　西和賀町北部の沢内地域にある「およね食堂」。レジの後ろの壁に、この地域の山菜について説明する紙が貼ってある。題して、『沢内山菜のおいしく体（命）によいわけ』。〈冬の間、深い雪の下でジット寒さに耐える為、低温馴化（澱粉を糖分に変える働き）して春を待ち、雪どけと同時に一斉に爆発的に芽吹いてのびるのでやわらかく甘いおいしさを与えて（人間に…）くれるのである。正に雪国が人間に与えてくれる有難い恩恵である〉。この解説文の横に、山菜の種類が書いてある。〈セリナ、コゴミ、アザミ、ヒロッコ、バッキヤ、わらび、シドケ、ホンナ、ピョンピョン、タラボ、アエッコ、ショデコ、サク、ゼンマイ、ミズ、ウド、コサバラ、イッポンコゴミ〉。

1

天然の蒸し風呂で育つ

　こうした西和賀の春の豊かな自然の恵みは、冬の厳しい自然の裏返し

4 すくすくと成長する西わらび。5 西和賀の自然の素晴らしさを学ぶ「自然観察会」を開催する瀬川強さん。参加者にホオノキの花について説明している。

5

でもある。死の世界が深い分、生の世界も豊かになる。「西和賀のわらびは山菜の横綱」と表現する西和賀わらび販売生産ネットワーク会長の湯澤正さん(67)は「冬の豪雪と春の日差しの強さがかけ合わさって、天然の蒸し風呂状態になる。この西和賀特有の自然環境が、繊維のやわらかいわらびを生み出している。口の中に入れるとドロッという粘り気の強い食感のわらびは他にない。わらびは西和賀の文化そのもの」と、誇らし気に解説する。

湯澤さんは元々、雑誌『現代農業(農文協)』の営業マンとして、15年間で35県を渡り歩いてきた。昭和58年に会社を辞め、帰郷。わらびの栽培を始めた。徐々にわらびに注目が集まるようになり、西和賀わらび販売生産ネットワークの会員は、栽培と天然合わせて現在２００人。昨年、ネットワークから町の産業公社に11トンのわらびが出荷された。

生命尊重の灯火

西和賀町(旧沢内村)はかつて、自分たちで生命を守った〝生命尊重行政の町〟として全国から注目を集めた。豪雪、貧困、多病多死の三重苦にあえいでいた沢内村では、年寄りや赤ちゃんがゴロゴロ死んでいた。深澤晟雄村長(当時)は１９６１年、「本来国民の生命を守るのは国の責任です。しかし、国がやらないのなら私がやりましょう。国は後からついてきますよ」と、高齢者と乳児の医療費の無料化に踏み切り、数年後全国初の乳児死亡率ゼロを達成した。当初、国や県から国民保険法違反だと是正を求められたが、「法律に違反しても憲法には違反していない。最高裁まで戦う覚悟だ」と、一蹴した。生命尊重の精神は、西和賀の人々に今なお受け継がれている。その象徴が、人々の食卓に並び続ける自然の命、わらびだ。

生きることは食べること、食べることはつくること、つくることは体を動かすこと、体を動かすことは生きること。この命のサイクルが、西和賀では今もくるくる回っている。

(２０１４年5月号)

春の恵みの料理、いろいろ

山菜の天ぷら、そして、わらびを楽しむ3つの味

春の山菜の醍醐味は、なんといってもその苦み。新芽特有の苦みは、天ぷらやおひたしなどにすると、アクがうまみに変わります。山菜の天ぷらは、風味を最大限に楽しめるよう、新しい油で揚げるのがおすすめ。市販の天ぷら粉を使えば、失敗もなく仕上がります。

わらびはおひたしや煮ものにしていただくことが多いと思いますが、ほかにもおいしくいただける食べ方がいろいろあります。わらびのたたきは、あつあつのご飯にのせてもおいしい。オムレツやカルパッチョなど洋風にすれば、また違った味わいで、その風味を楽しむことができます。わらびを使った3種の料理をご紹介します。

1 山菜の天ぷら

山菜の天ぷらは、さっと揚げるが基本。たらの芽のような茎が太めのものは、弱火でじっくり中まで火を通してから、最後に油の温度を上げてカラッと揚げて。

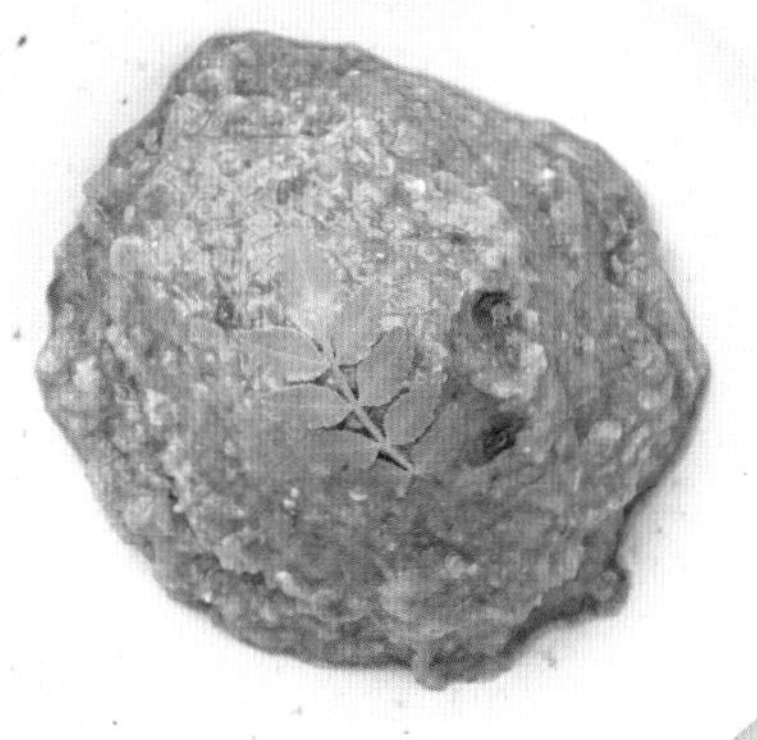

2　わらびのたたき

水煮のわらびをみじん切りにし、とろみが出てくるまで、ていねいにたたきます。みそと山椒の若葉（木の芽）を加え、さらにたたけばでき上がり。味つけはお好みで。仕上げにも山椒の若葉をのせて。

3　わらびのスペイン風オムレツ

溶き卵に食べやすく切った水煮のわらび、粉チーズ、塩、こしょうを混ぜます。多めのオリーブオイルで玉ねぎ、トマトを炒めて卵液を加え、両面を蒸し焼きに。わらび以外の野菜はお好みのものを。

4　わらびのカルパッチョ

玉ねぎ、トマト、ディルを粗いみじん切りにし、白ワインビネガー、オリーブオイル、パルメザンチーズ、塩、こしょうであえます。水煮のわらびにかければ、白ワインのお供にもぴったりな一品に。

生産者は元読者

福島県会津若松市門田町一ノ堰・大友佑樹さん

東北食べる通信（以下、食べる通信）元読者で百姓になった男がいる。東京でサラリーマンをしていた大友佑樹さん（32）がその人だ。就農してちょうど3年目になる。

ギリギリまで追い込む

福島県会津若松市。7月5日朝、小雨模様の曇り空の下、大友さんはトマトの収穫作業に汗を流していた。トマトの収穫はだいたい朝5時から7時過ぎまで続く。トマトは、日中から夜にかけて樹や茎に養分を集中させるが、夜明けが近くなると果実に養分を戻す。そのため一番養分をたくさん含んでいる状態の朝のトマトを収穫するということであった。

「うちはトマトに水分をギリギリまであげないので、枯渇したトマトは空気中にある水分を取り込もうとこうして産毛を出すんです」。大友さんが栽培する「麗夏（れいか）」という品種のトマトは、うま味成分のグルタミン酸の含有量が多いという特徴がある。

「水をやらずにストレスを与えることで、自力で生きようとする力が引き出されれば、うま味成分をより出してくれるんじゃないかと思った。だから、トマトを追い込むんです」。

麗夏は、サラダはもちろん、煮込みやソースなどの加熱調理にも向き、幅広い料理に大活躍する。スーパーの店頭には一年中並び、流通の都合で赤くなる手前で収穫・出荷されることも多いトマトだが、大友さんは夏の太陽を浴びさせ、樹の上で完熟させることにこだわり、味も栄養も最高のタイミングで収穫される。

農家に惹かれる

大友さんは東京都杉並区で、銀行員の両親に育てられた。東京の大学に進学し、商学部で研究した消費者

1「自分にとって一番かっこいい農家はお父さん」(大友さん談)。自身のトマト畑で、農業を志すきっかけとなった大竹誠さん(左)とのツーショット。2トマトの成長点。ここで盛んに光合成して蓄えられた養分が、夜間に実に行き渡り、おいしいトマトになる。

行動を分析する部署のある会社に入った。全国約220店の中堅スーパーにポイントカードやクレジットカードを活用した販促の仕組みを営業するために、全国を行脚する毎日だったという。

大友さんの妻の里加子さん(33)が会津出身。大友さんの義父にあたる大竹誠さん(61)は農協に頼らず、自力で生産物を売り切るというスタイルで農業をやっていた。トマトで一般的だった品種の「桃太郎」をつくっていたが、これは農協に卸すため、収量を上げるのに適した品種で、完熟させるのが難しかった。

「もうつくれば売れる時代は終わった。これからは量より質だ」と感じていた誠さんは、自分でつくったものに責任を持つという答えに至る。

「農協に出した時点で農家には販売の責任がない。自分で売り始めたらリスクは高い。でも、面白い。面白いと思わないといいものはできない。おいしいねと直接言ってくれる人が出てくると、もっとおいしいものをつくろうとスキルアップしていく」。

麗夏の栽培を独自に始めたのはそんなことを考えていた頃だ。収量は少ないし、栽培も難しいが、耐久性に優れ、樹上で完熟させるのに適したトマトだった。

ある年の年末、大友さんが妻と会津に帰省したとき、営業の仕事のプラスになるはずだと「農作業手伝ってみろ」と誠さんから声をかけられた。この農作業体験をネタに営業していると、仕事がいつの間にか決まっていく。恩返しにと仕事の合間にトマトの営業を始め、販路の拡大に貢献した。食べる通信を購読し始めると、東北各県には誠さんのように輝いている若手農家がたくさんいることを知り、興味がどんどんわいてきた。

変化

就農して3年目を迎える大友さんは、1日を一生懸命考えながら生きているなと感じている。作物は人間

1 | 2

FARM OTOMO

3 収穫は、1日のうちでトマトの味が最もよい朝の5時から7時に行う。

と一緒で生きている。ファームに４５００本あるトマトの樹を相手にするということは、日夜４５００人の人間と同時に対峙するようなものだ。常々「作物を一本ダメにするってことは人ひとり殺すことだから、そういう責任感を持ってやれ」と誠さんから言われている。以前とは、責任感がまったく違う。

サラリーマン時代は同じことを繰り返しているだけだったが、今は毎日が目まぐるしく変わる。「今日は元気よかったトマトなのに、次の日になったら病気になってる。なんで？というのがざらにある」。同様に季節の変化も感じるようになった。洋服ぐらいでしか感じることができなかった季節感を、今は肌で感じることができる。以前は天気予報はスマートフォンに頼っていたが、今では空を見てわかるようにもなってきた。

なんで？が大事

農業の世界に身を転じてまだ2年。大友さんの成長を陰で支えるのはやはり誠さんだ。右も左もわからない就農1年目の大友さんは水をやるタイミング、ハウスを開け閉めするタイミングなど、基本的な作業のポイントについて助言してもらった。2年目になると、ダメになるときだけ声をかけてくれた。そして3年目の今年は何も言われなくなった。まず自分でやってみる。やらないと失敗もわからないと考える誠さんは言う。「なんで？が大事。教えると、なんで？が生まれない」。

農家としてのスタートが遅かった大友さんだが、遅れを取り戻すために必要な心構えも誠さんから叩き込まれた。「10年やってきた農家に比べたら、お前はポッと出てきた農家だから、その差を埋めるには、自分が経験できなかったことを他人から学んで吸収する素直さと、何より探究心が大事だ」。その教え通り、自分に足りないものを持っている人がいると飛んでいき、スポンジのように吸収し、自分の力に変えている。

大友さんは同業者とも積極的にタッグを組む。地域全体の魅力をみんなでＰＲすることで、各々もよくなっていくことを目指すという。「自分だけがよくなることに興味がない。それぞれの強みを組み合わせることで福島全体、会津全体を盛り上げていきたい」。大友さんの探究はまだまだ始まったばかりだ。

（２０１７年７月号）

トマトの食べ方、いろいろ

1　トマト炊き込みご飯

米を土鍋に入れて真ん中に湯むきしたトマトを入れ、塩、こしょう、好みのハーブを加えて炊き上げます。粉チーズと、好みでバジルの葉の細切りを散らし、トマトをくずすように混ぜていただきます。

樹上での完熟にこだわった真っ赤なトマトを味わう

日本では桃太郎などのピンク系品種が多数を占めますが、世界的に主流なのは赤系トマト。「麗夏」もそのひとつ。サラダはもちろん、煮込みやソースなどの加熱調理にも向き、幅広い料理に活躍します。

生産者の大友さんは、トマトに夏の太陽を浴びさせ、樹上で完熟させることにこだわっています。まぶしいほどに真っ赤な色は、抗酸化作用を持つ赤色色素・リコペンが豊富な証拠。うま味成分のグルタミン酸も多く、味も栄養もすぐれています。

そんな完熟トマトの味わい方をご紹介。低温でじっくり焼いてうまみを凝縮させたドライトマトや、スイーツ感覚で食べられるはちみつ漬け、まるごと炊き込んだご飯など、それぞれ違ったトマトのおいしさに出会えます。

2　ドライトマト

輪切りにしたトマトに塩をふり、100℃のオーブンで1時間ほど焼きます。使うときは、にんにくの薄切りとともにオリーブオイルに漬けて一晩おいて。そのままおつまみにするほか、パスタなどに。

3　トマトのはちみつ漬け

トマトは皮を湯むきし、へたを残したままくし形切りに。ポリ袋に入れ、はちみつを加えて口を閉じ、はちみつを全体にいきわたらせたら、冷蔵庫で1時間ほど漬けて完成です。

4　基本のトマトソース

トマトは皮を湯むきし、ざく切りに。オリーブオイルでにんにくのみじん切りを炒め、トマトを加えて形がなくなるまで煮たら、塩、こしょうで味をととのえます。パスタや、鶏肉と野菜のトマト煮などに。

根っこから、変えていく

青森県三戸郡田子町・宮村祐貴さん

トレードマークは、スキンヘッドにメキシカンハット。「コーンを神だと思っているメキシコ人がなんか好きなんです」。そう真顔で話す宮村祐貴さん(31)は、地元が誇る田子名産のにんにくを生産している若手農家だ。

5月下旬、宮村さんは畑一面に広がるにんにくの葉っぱと茎に自家製の培養菌を散布していた。ワラからつくった納豆菌と、ヨーグルトからつくった酵母菌。そして米のとぎ汁に牛乳を入れてつくった乳酸菌。3つの菌を、20リットルの水に混ぜてつくり上げた培養菌だ。

菌の使い手

同じ青森県弘前市でリンゴの自然栽培に成功して脚光を浴びた木村秋則さんの自然栽培塾に2年間通った経験がある。「農薬、肥料、何も使わないってやつ。バカだからそのまま実践した。にんにくがどんどん小さくなっていくのを見て、これじゃないなと。家庭菜園ではできるかもしれないけれど、この面積じゃ難しい。食べられるものならばいいべってことで」食べものから培養菌をつくり、それをまくことにした。「これ、普通に人間も飲めますよ」と言う宮村さんは、にんにくでは難しいといわれている無農薬・無化学肥料による栽培に挑んでいる。

一般的なにんにく農家には化学肥料と農薬が欠かせない。だからこの作業の際にはマスクを装着するのだ

1

1 花咲く小麦畑。にんにくを植える前に、小麦と大豆を植えると土が良くなると聞き、栽培を始めた。

2 納豆菌、酵母菌、乳酸菌と水を混ぜた培養菌を散布。食べられるものからつくられているので、散布の際もマスクはしない。

が、宮村さんは食べもの由来の培養菌をまくので何もつけない。他の農家の畑と比べると、宮村さんの畑のにんにくの葉っぱと茎は背丈が低く、緑の色も薄い。これは化学肥料を使っていないからだ。自然の循環を壊さないやり方で、環境にも、人間にも負担をかけないにんにく栽培をやるという信念が、そこにはある。

「以前は農法自体にこだわり、何も使わないことがいいことだと思っていたけど、結局何を使おうが自分の信念がちゃんと消費者に伝わることが大事だと思えるようになった」と、宮村さんは心境の変化を語る。そしてその信念や想いに共感した消費者に支えてもらうために、直接販売しかやらない。多くのにんにく農家にとって、販売は農協にゆだねるのが普通なのだが、宮村さんはそれだと価値が伝わらないからと、あくまで自分で売ることに徹している。

物語の紡ぎ手

一人ひとりの農家には、食べものの裏側に隠れて消費者から見えなくなってしまったストーリーがある。農協に出荷し「田子産」とひとくくりにして販売されてしまっては、こだわりや苦悩は伝わらないし、結果として同じ値段になってしまう。だから、宮村さんはSNSを通じて、そのストーリーを自分の言葉で伝えている。価値だけでなく、苦しみも伝えることが大事だと考えている。

例えば、台風の被害で野菜が高騰しているというニュースが流れると、大抵の場合、家計を直撃し消費者が

3 にんにくの醤油漬けにもトライ。4 ゼロスタートの宮村さんを支えた祖父のトラクターや機械類。「これ（祖父の遺産）があったから農業やれた」。5 秋空の下、前の年に収穫したにんにくをタネとして植え付ける。薬剤で消毒しないため真っ白な食べられる状態だ。

困っている報道になるが、農家の苦しい実態が伝えられることは少ない。農業という仕事は、こうした避けられない自然リスクに常にさらされ、ときに苦境に陥ることもあるわけで、それも含めて価値なのだ。

消えた「過程」

なぜ、農業は魅力的な仕事じゃなくなってしまったのか。その原因は、農業が本来持っている価値が消費者から見えなくなってしまったことにあると、宮村さんは考えている。

消費者が日頃目にしているのは、食べものの表側の世界だ。スーパーに並ぶ食材や加工品は、農業という営みの「結果」である。そして「結果」しか見えない消費者に引きずられ、農家自身も「結果」である農産物のことしか語らなくなった。農業の本来の価値は、農産物という結果を生むまでの「過程」にこそあったはずだ。どうやって食べものを育てているのか。食べものを育てる喜びとはどんなものなのか。この食べものの裏側にある、農家にしか語れない世界こそが農業の最大の魅力であり、消費者に伝えるべきことだという確信が、宮村さんにはある。

自然の通訳者

にんにくを育てるためには、植物を原料とする緑肥や米ぬかをすきこんだ土壌から、できるだけ多くの栄養分をにんにくの根っこに取り込ませることがカギで、そのための土壌環境を整えることが重要になる。にんにくの根っこが栄養分を摂取する力が小さいからだ。そこで宮村さんが注力しているのは、にんにくの根っこと土壌微生物の間の「取り引き」を活性化させること。にんにくの根っこが放出する分泌物が土壌微生物の餌となり、一方で土壌微生物はにんにくの根っこによる土壌中の栄養分の利用能力を高めてくれる。異なる生物種が同じ土壌空間で互いに利益を得る「共生関係」を結んでいるのである。

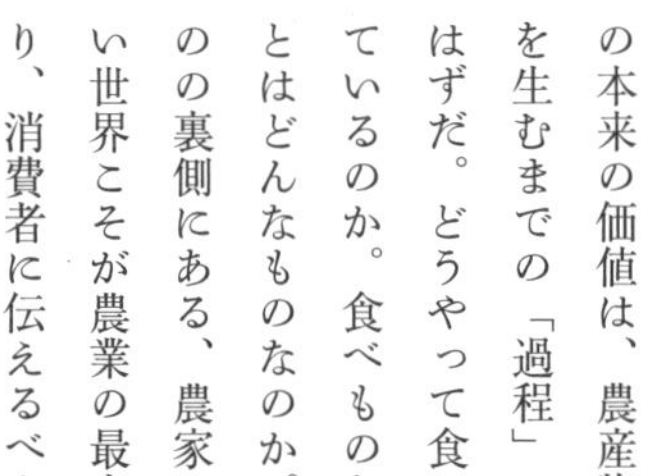

3

6 じっくり熟成させた黒にんにくはフルーティーでイメージが変わる。7 にんにくは、葉で光合成し、栄養分をたっぷり球根に蓄える。8 アイヌ語で小高い丘を意味する「タプコプ」が田子の語源。冬季の積雪が田子のにんにくを美味しくする。

「化学肥料を施す場合でも、必ず微生物が植物と肥料の橋渡しをしている。この関係性が大事。化学肥料を使わない場合は、なおさらこの関係性を強化してやらないといけない」。だから、培養菌をまくことで、微生物を活性化させている。

化学の力に頼らない以上、自然の原理を知る必要があったのだ。その原理は、学校の理科の授業で勉強したことの延長線上にあった。近代農業では、効率を優先させるあまりに、農薬や化学肥料に頼りすぎる。だから自然の原理が分からなくなる。そして「結果」しか語らなくなり、農業の価値を自ら引き下げてきてしまったのではないか。宮村さんの目には、生き物たちが暮らす自然の世界の通訳者の座に農家が座り直すことこそが、農業の価値を社会に復権していく道と映っている。

8

世なおしは、食なおし

今、世の中に食べものが当たり前にありすぎて消費者の感覚が麻痺していることを宮村さんは危惧する。みんな食べものをお金で買うようになった結果、食べものの本当の価値が分からなくなってしまったと。だからこそ、その価値を理解している自分が、食べることは生きることそのものであると伝えていきたい。体は食べものでつくられている。その食べものがどうやって育てられているのかを知ってほしい。農村の田子ですら、大半の人たちは田植え作業を横目に朝8時に出勤し、帰りはスーパーで食材を買ってくる生活で、東京と変わらない。

宮村さんは「農とは自分の生き様」であり、「買い物とは社会を変える投票」だと考えている。食べものを栽培する「過程」の価値、すなわち自分の生き様を消費者に伝え、その価値に共感してくれる消費者に農家の言い値で買ってもらう。そんな世の中になれば、農家の暮らしも、消費者の健康も、農村の田園風景も守られる社会になるはずだと信じている。

（2018年6月号）

生にんにくの食べ方、いろいろ

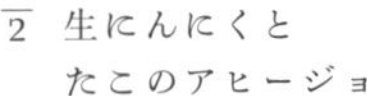

2 生にんにくとたこのアヒージョ

皮つきのまま半分に切った生にんにくを、一口大に切ったたこ、タイムとともにオリーブオイルで煮た豪快なアヒージョ。にんにくに塩をふっていただきます。残ったオイルはパスタなどに使って。

1 ワカモレ(アボカドのサルサ)

粗くつぶしたアボカドと、すりおろした生にんにく、粗いみじん切りにしたトマト、ピーマン、パクチーを、レモン汁と塩であえます。辛みの少ない生にんにくならではの、やさしい味わいです。

旬の短期間しか味わえない、希少な生にんにく

にんにくは『源氏物語』に風邪薬として登場するほど滋養強壮効果の高い食べ物。通常は収穫後に乾燥させてから出荷されますが、生にんにくは乾燥処理をしない希少なもの。生産地だけで、収穫時期のわずか2週間ほどしか食べられない旬の味です。とがった辛みのないみずみずしさは、えもいわれぬおいしさです。

3 ペペロンチーノ

生にんにくは風味を堪能できるようスライスで使います。失敗しないポイントは、にんにくは絶対に焦がさず、ゆで汁を加えたらオイルとしっかり乳化させます。かくし味にしょうゆやアンチョビーを加えても。

1 畑仕事をする両親を待つのに飽きて、子どもたちは畝で競走を始めた。

私たちはみな様の畑になりたい

福島県石川町塩沢・紀陸洋平さん、聖子さん

スーパーの一角、地元の農家が育てた野菜が並ぶ産直コーナーの中に異彩を放つ野菜がある。品種の特徴やオススメの調理方法などが手書きでびっしりと綴られた紙が、野菜の袋一つひとつに入っている。書きたいことが多すぎて後半が詰まりすぎになった文字、主役であるはずの野菜の顔を隠してしまうほどの紙のサイズなど、一生懸命な不器用さが溢れ出ていて微笑ましい。

でこぼこ夫婦

薩摩芋などの野菜を育てているのが福島県石川町で「笑平でこぼこ農園」を営んでいる紀陸洋平さん(42)とその妻、聖子さん(42)だ。野菜をつくる夫と、伝える妻。得意なことと苦手なことが全く違っていて、でこぼこな二人だ。

二人は埼玉で生まれ育った。同じ予備校に通うようになり「一緒に勉強してたら付き合うことになっちゃった」らしい。聖子さんに誘われて映画に行くとフィリピンの孤児についてのドキュメンタリーだったり、美術展に行くと原子爆弾についての展示だったり。ある日、韓国にある米軍基地についての映画を観に行った帰り、レストランで議論中に洋平さんがこぼした心無い一言が聖子さんの逆鱗に触れ、箸をバーンと置いて帰ってしまったこともあったという。聖子さんは昔から様々な社会問題に思いを馳せ、真剣に考える人だった。

2 4人の子どもたちと一緒に薩摩芋を収穫。

群馬での農業

洋平さんは東京農業大学に、聖子さんは新潟大学農学部に進学。聖子さんは大学卒業後、障がいがある人たちのケアをする仕事を始める。結婚後は、小学校に馴染めない子どもの面倒を見る支援員の仕事をしていた。結婚して間もないころ、お金は無かったが聖子さんはユニセフへの募金を欠かさなかった。「どんなに貧しくても社会のためにできることがあるならやる」。そういう人だった。

洋平さんが就職した群馬県の農業生産法人は高原で葉物をつくる中規模農家だった。3年以内の離職率が99%という厳しい環境だったが、やがて農場長を任されるようになる。独立して農業をするために移住を考えていた矢先に東日本大震災が発災し、続いて福島原発の事故が起きた。

福島に移住

聖子さんから移住先の選択肢として〝福島〟が出てきた。「震災のとき、みんなが福島への寄付をした。でも忘れちゃうでしょ? 私だって忙しさで忘れちゃう。そういうふうにはなりたくなかった」と語る聖子さんに、洋平さんは「選択肢に福島が入ってくることは全く不思議に思わなかったですね、この人ならそう言うだろうと思ってました」と相槌を打つ。

「福島の野菜なんか売れないぞ」と、群馬の農家や出荷先からは心配された。福島県の移住相談窓口に電話をすると、担当者は涙声で「こんなときに電話をくれるだけでもありがたいです」と言った。この声で決意が固まり、紀陸家は福島への移住計画をスタート。2013年春、石川町に移住。新規就農する運びとなった。

普通の人のための野菜

聖子さんは「うちのは年金暮らしのおばあちゃんや子どもが5人いるお母さんたちが買う野菜にしたいんです」と語る。〝普通の人〟に野菜にも美味しさがあることを知ってもらえれば、新鮮で美味しい野菜をつくる農家も増えるはずだからだ。売り場にある聖子さん手作りのお客様の声ポストには「私たちはみな様の畑になりたいのです」と記してある。

物事の向こう側

聖子さんは野菜を通じて〝物事の

3 | 4

3 畝立てや肥料のすきこみなど、クワ一本あれば大抵のことはできるという洋平さんのクワ捌き。4 一本の茎に連なってできる薩摩芋。芋の肌が傷つきやすいため、外側の土を深く掘り崩し、そっと取り出す。

向こう側〟を考えて欲しいと思っている。不定期で発行する「笑平でこぼこ農園新聞」で、昨年聖子さんが書いた記事の一節にはこうある。

＊

スーパーでは、産地を変え、時には輸入して、なんの欠品もないよう、野菜が並んでいます。消費者側から見ると「今年は少し高いね」とは思いますが、全ての野菜が揃っているのは当たり前の光景です。でも、その背景には、一軒一軒の農家さんの悲しみや辛さ、思いがあることを、ほんのちょっと思い出していただけると嬉しいです。一方で、お金さえあれば何でも手に入る世の中で、自分の思い通りにならないことに常に向き合わせてもらえることは、有難いとも思います……食べていければね(苦笑)。

＊

子どもを連れて福島に移住することに眉をひそめる人もいただろう。子どもたちは住む場所を選べない。健康リスクがあるかもわからない、と。そう尋ねると聖子さんは小さな、でも力のこもった声で言った。「子どもたちが、原発のことを他人事だと思うことの方がリスクだと思います」。

聖子さんは原発事故を「福島で起きたこと」ではなく「自分に起きたこと」として考えたかった。そして、子どもたちにもそうあって欲しかった。事故の被害に遭った〝本人〟になることはできないが、〝当事者〟にはなれる。

当事者としてできること

聖子さんが思う〝当事者になる〟とは、〝原因が自分にある〟と考えることだ。欠品のない野菜の背景、原発事故の原因を考えると、いつもそこには自分がいたことに気づく。自分も安い野菜や電気を享受してきた。物事の向こう側を知り、当事者になり、具体的な行動を起こす。それによってすぐに社会の主流は変えられないかもしれないが、主流から支流が増え、支流が田畑を潤す。もしその支流がなければ消えていた価値や考え方を残すことができたとしたら、十分に社会を変えた、と言えるのではないか。

小さな小さな農園では30種類以上の野菜と、4人の子どもたちがすくすく育つ。この小さな農園が大きな社会に向けて小さな小さな問いかけを今日も続けている。

（２０１８年10月号）

家で作る、理想の焼き芋

4種類の調理道具で、4つの違った食感に

数ある薩摩芋の品種のなかでも、「シルクスイート」は甘みも香りも上品で、食べ飽きない味が特徴。絹のようになめらかな口当たりもまた、魅力です。

そんなシルクスイートを、おうちで焼き芋に。外でたき火をするのはむずかしくても、家にある4つの調理道具を使い分ければ、ほくほく派もねっとり派も大満足の焼き芋が再現できます。使うのは、

- 土鍋
- 電子レンジ
- オーブン
- 魚焼きグリル

の4つ。加熱方法が変われば、味や食感も変わります。薩摩芋らしい食感を楽しみたいかたはほくほくが、ス

1　土鍋（ねっとり＋こんがり）

表面を流水で洗い、アルミホイルでぴっちり包みます。土鍋に並べてふたをし、弱火で20分焼きます。ふたを開けて上下を返し、再び弱火で20分焼きます。少しずつ回転させながらこれを3～4回繰り返し、全体に焼き色をつけます。

2　電子レンジ（ほくほく）

表面を流水で洗い、水でぬらしたペーパータオルで巻いて、さらに乾いた新聞紙でしっかりと包みます。600Wで2分加熱し、解凍モード（200W）で12分加熱します。レンジに入れるのは1本ずつにして。

3　オーブン
（ほくほく＋ややねっとり）

表面を流水で洗い、アルミホイルでぴっちり包みます。オーブンを160℃に設定し、予熱の段階から入れて90分焼き、庫内に20分置きます。

4　魚焼きグリル（ほくほく）

表面を流水で洗い、アルミホイルでぴっちり包みます。魚焼きグリルの弱火で20分焼き、上下を返してさらに20分焼きます。火を止め、グリル内に15分置きます。

イーツのような味わいを求めるかたは、ねっとりがおすすめ。手間と時間は少しかかりますが、道具によっては落ち葉を集めなくても、こんがりとした皮の香ばしさも楽しめます。いろいろ試して、ぜひ、自分好みの焼き方を見つけてみてください。

4つの道具、焼くときの共通の注意点

・加熱中にできるだけ芋の中の水分が蒸発しないよう、両端は切り落とさないでください。

・薩摩芋のサイズで加熱時間が変わります。レシピでは中サイズ（300〜400g）を使用しています。

・薩摩芋には個体差があります。ものによっては、ねっとり感が出にくい場合があります。

人も自然も搾取しない暮らし

岩手県花巻市東和町・酒勾徹さん

自然農園「ウレシパモシリ」との出会いは10年前のことだった。ウレシパモシリとは、アイヌ語で「この自然界そのもの」を意味する。当時38歳だった同農園代表の酒勾徹さん(48)は、自然環境と調和した永続可能な自給的暮らし「パーマカルチャー」なるものを実践していた。

酒勾さんは妻の淳子さん、そして全国から集まる若い研修生たちと、たくさんの動植物を育てていた。無農薬・無肥料の自然栽培でつくるタカキビ、アワ、ヒエなどの雑穀、50種類以上の野菜、果物、米、麦、また鶏肉、卵、豚肉なども販売し、自家消費していた。味噌や餅、梅干しもつくっていた。自給的暮らしなので食費はあまりかからず、販売で得た現金収入で3人の子どもたちを育てていた。

共生の思想

酒勾さんがそのとき言った言葉は、今でも頭に残っている。「ここではすべての存在に意味があり、無駄なものなどない。互いに役割を果たし合い、共生することで、それぞれの存在が成り立っている。共生することで生産性も上がる。これまでの社会は〝競争〟でやってきたが、これからの社会は〝共生〟を大事にしていかないといけない」。

目指す理想の農園のビジョンをまず描き、そこからそれぞれの動植物の配置や役割を設計しているという

1

1 小高い斜面の蕎麦畑から。山手の水田では転作作物として蕎麦を選び、平場の水田では今も米が作られていた。

2 田んぼの畦に並ぶハンノキ。この木には田畑を豊かにする肥料木の役割も、木の葉の反射で田んぼに太陽光を注ぐ役割も、稲の天日干しの際に支柱となる稲木としての役割もある。3 大雨でぬかるみ、機械刈りが困難になった田んぼで手刈りをしていた研修生。4 収穫間近の蕎麦は茎が赤く色づく。

全体最適の考え方に強く共感した。すべては相互に関連しているのだから切り分けて考えるのではなく、それらの集合体である生態系「全体」から各動植物の「部分」がどうあるべきかを考える。それが結果として、個々の力を引き出すことになり、全体としての力も最大化させる。拡大成長期に分業が極度に進み、部分最適の考え方が染み渡った日本社会において、パーマカルチャーの全体最適の考え方は新鮮だった。

創造的破壊

大学を退学し、千葉県の三芳村に移住して有機農業に従事していたあるとき、有志の勉強会でパーマカルチャーの存在を知った。自分の農園で作物を自給することに加え、周囲の自然環境や地域社会とも調和を図るという思想に惹かれ、パーマカルチャーの本場、ニュージーランドに渡り、1年間農業研修に身を投じた。

それぞれの農家がこだわりを持ちながらも、現実社会との折り合いの中でやれることをやるという柔軟な発想を持ったパーマカルチャーを学び、視野がぐんと広がった。帰国後、実家のある岩手に戻り、町内での農薬空中散布が認められていない東和町で、今の農園がある土地を役場職員から紹介された。20年以上放置された田畑には雑木が生い茂っていたが、「家の周りには農地が広がり、裏山、溜池、防風林もあり、植生も豊か。まるで自分たちがやってくるのを待っているかのようだと思った」と、その土地に一目惚れした。

パーマカルチャーの世界においては「破壊」があり「創造」がある。破壊なしに真の創造はない。しかし、今の若者たちは情報が豊かなこの時代ゆえに、「道筋をなぞって延長線上を歩く」ことができる。どん底まで落ちることをさせてもらえない時代だ。そこから真の創造は生まれない。また、受け身で得る情報がなかなか身につかないのに比べ、自分自身の五感を研ぎ澄ませて得た気づきと発見は、主体的につかみとったもので

2

3 | 4

5 緑から茶色に色づいていく蕎麦の実。6 刈り取った稲を束ねて天日干しにする「ハセ掛け」。ウレシパモシリの秋の光景。

あり、自分の一部として残り続ける。この体験にも今の若者は乏しい。「自分はこうだった」が通用しない世代にどう伝えていくのか。酒匂さん自身も常に迷い、戸惑いがある。それでも、この農園で土に触れながら仕事をして、展望が開けていく若者たちの姿を見られることには喜びもあるという。

自然のメッセンジャーからの声

酒匂さんは今、地域内の資源の循環だけで永続できるエコビレッジをつくり集落全体をデザインしたいと考えている。

　ウレシパモシリの作物を購入する人たちの多くが、化学物質過敏症に苦しんでおり、こういう人たちの割合が年々増えているという。「作物を新聞にくるんで送るのもダメ（インクがNG）。食べるものがないので、必死の思いでうちを探してやってくる。周りの農家からの農薬散布はないですか？と聞かれる」。「はい」と答えられないことが悔しい。酒匂さんは、化学物質過敏症の人たちを自然界の異変を伝えるメッセンジャーだと感じている。この声に応える本来の食べものの姿を描こうとすると、必然的に外部から持ち込むことなく、この土地の力だけで育つものということになる。

集落との融合

　問題は、慣行農業が一般的なこの集落に、酒匂さんの思いをどう伝えていくのかということだ。酒匂さんが移住した白山集落は戸数60軒で、ほとんどが兼業農家だった。高齢化で担い手不足が深刻化しつつあった10年前、住民たちはこの集落の農地を維持していくのか、荒れ放題にしていくのかの選択を国から迫られた。助成金を得て、条件不利の山あいの農地を守っていくことを住民たちで決断し、集落営農組織を立ち上げた。花巻市では水田の転作作物である雑穀の生産が盛んだったこともあり、中でも生育が早く手間のかからない蕎麦は、現実的な選択肢だった。

　蕎麦は無農薬・無肥料でも比較的つくりやすいため、自然栽培で育て

7 大型コンバインでの収穫が圧倒的多数を占める現代の米づくりの中、ウレシパモシリでは昔ながらの歩行型のバインダー（刈り取り機）が現役で活躍中。
8 輸入飼料に頼らずに家畜を育てるためには、地域の農業から出る作物のくずが欠かせないという。写真は豚の飼料用に大釜で炊いている大豆。

ることを提案した。そうして先頭に立って汗をかき、赤字にならない値段設定で販売先も見つけてきた。ボランティアではなく、ちゃんと集落営農組織が農家に手間賃を払って作業をお願いできる環境が整った。また、庶務会計や総会資料作成もこなしている。離農した高齢世帯から農地の相談が来るようにもなった。こうして、酒勾さんは徐々に集落の人々から信頼されるようになっていった。

自然栽培の蕎麦生産で実績をつくり、次は主力のお米でも徐々に同じことをやれないかと思っている。それができれば、エコビレッジに近づき、集落自体の付加価値も上がると。

野生化する文明人

酒勾さんを見ていると、自然から離れて都市生活を送る自分たちとの決定的な違いを感じるのだが、それは「野生」の有無のような気がする。野生、それは原始の自然そのものの姿だ。人間がコントロールできない自然を排除した都市生活の中で、私たちの野生はすっかり削がれ、生き物本来の力も弱まってしまったのではないだろうか。野生化する文明人の酒勾さんには、生き物として力を強く感じるのだ。

人間がコントロールできない世界のひとつに農業がある。農業は人間がコントロールできない自然が相手だ。だから、農業には何が起こるかわからない不安が常につきまとう。台風が来れば、1年の努力が無に帰すこともある。しかし一方で、農業には何が起こるかわからない期待もあると、酒勾さんはいう。不確実でも種をまけば芽が出るという期待感があるからやっていけるのだと。私たちは自然から離れ、何が起こるかわからない不安から逃れることができたが、同時に何が起こるかわからない期待をも手放してしまったのではないだろうか。そう考えると、酒勾さんが暮らす森の世界の方が、なんだか広く開かれた世界に感じるのだった。

（2016年10月号）

基本のそばつゆ、白ごまつゆ、ピリ辛鶏肉つゆ

おいしくゆでたそばを、
3種の自家製だれでいただく

●基本のそばつゆ

小鍋にみりんを煮立て、昆布とかつおでとっただし汁としょうゆを加え、ひと煮立ちさせます。みりんは最初に煮立てて、アルコール分をとばします。

●白ごまつゆ

2種類のごまを使った香り豊かなつゆ。白練りごま、白すりごま、砂糖を混ぜ、基本のそばつゆを少しずつ加えて溶きのばします。

●ピリ辛鶏肉つゆ

基本のそばつゆで、一口大に切った鶏もも肉を煮ます。器に盛って、ラー油を好みの量回し入れます。

鶏肉

ラー油

ごま

昆布

1 甚五右ヱ門芋の親芋と子芋、孫芋のつき方を説明する春樹さん。

真室川の運命を変えた「ばあちゃんの里芋」

山形県真室川町大沢・佐藤春樹さん一家

真室川町は山形県と秋田県の県境に位置する人口およそ8500人の小さな町だ。大部分を森林が占め、真室川、鮭川、金山川、小又川が流れている。年間を通じて日照時間は短く、冬季の積雪量は多い。

楕円の緑の葉っぱが幾重にも重なり、一面に広がる里芋畑。佐藤家の畑は、山道から外れた林の裏手にある。顔に深いしわを刻んだ農家、佐藤信栄さん(81)は、佐藤家に代々伝わる里芋について「この地域の豊かな湧水と盆地特有の激しい寒暖差が、ここの里芋をおいしくしている」と、誇らし気に語った。そして、その里芋の歴史についてひも解き始めた。

伝説の里芋

江戸時代に秋田の角館からやってきた出羽新庄藩初代藩主の戸沢政盛公がこの地に検分に来た際、祖先である佐藤家初代のおじいさん、おばあさんが田んぼ仕事を休んで里芋を煮ていた。おばあさんが「あがらしゃれ」と里芋を振る舞ったところ、非常に喜ばれ、すぐ鍋底にしゃもじがあたって音が鳴るくらいの勢いで平らげてしまった。このときのおじいさんの名前が「甚五右ヱ門」だった。

「大凶作の年もこの芋だけは丈夫にできた。その芋と蓄えの自家製味噌が、冬の食糧不足をしのぐ役割を果たしてきた」と、信栄さんは言う。命をつないできたその種は途切れることなく伝承され、今度は信栄さんから孫の春樹さん(33)にバトンタッチされた。

2 春樹さんが芋づくりを学ぶ、祖父の佐藤信栄さん(左)。

春樹さんは小学2年生まで、信栄さんの家で両親と共に9人家族で暮らしていた。学校から家に帰るとランドセルをぶん投げて、裏山を走り回った。口のまわりをまっ赤にしながら桑の実を食べたり、川で鮎を獲ったりして遊んだ。その後、父の仕事の都合で隣町に引っ越したが、夏休みになるといつも真室川に戻って遊んでいた。新庄の工業高校を卒業後、製造会社に就職。数年後、会社を辞め、今度はスーパーの深夜のアルバイトを始めることにした。朝帰宅してひと寝して、昼に起きると、それから夜まですることがない。そこで、信栄さんの農作業の手伝いに通うようになった。次第に農業が面白くなり、25歳で農業大学校の社会人研修へ。

20株の奇跡

「自分がつくったものを自分で売るのが一番面白いと思った」という春樹さんは、仙台の産直に出荷したりしたが、うまくいかなかった。生計を立てることができないと思い悩んでいたころ、在来野菜が注目され始めた。役場も真室川の在来野菜を探していたところ、春樹さんのおばあさんの清子さん(77)が直採種していた芋の種が在来野菜だとわかった。そのとき、清子さんは畑で自家用と親戚用の20株だけ栽培していた。もし清子さんがいなかったら、この世からその種は消滅していたことになる。

「おばあちゃんはお金を払って食べものを買うんじゃなくて、自分で種をとってつくるのが当たり前だと思っていた。だから、この種が残っていた」と、春樹さんは感謝する。そのころ、この里芋は〝ばあちゃんの里芋〟と呼ばれていた。これからこの里芋の価値を外に発信するために、佐藤家初代から名前をもらい「甚五右ェ門芋」と名づけた。春樹さんは当時の心境を振り返る。

「宝物が突然見つかった気持ちだった。それも屋根裏に隠されていたとかじゃなくて、畑に生えていた。毎年、毎年、おばあちゃんが畑でとっていたものが宝物だった。きっと全国のおじいちゃん、おばあちゃんがとっているものの中にもそうした宝物がいっぱいある。それらがなくなる前に見つけ、守らないといけない」

芋が地域を盛り上げる

春樹さんはこの甚五右ェ門芋の価

3 | 4

3 甚五右ヱ門芋は、独特の形を生かして芋煮の具に。4 葉を切り落とすと芋のつき方がよくわかる。5 芋祭参加者が畑で芋掘りを体験。

値を多くの人に発信し、地域のことを好きになってもらいたいと考え、5年前から芋祭を始めた。里芋の収穫を体験してもらったり、本場の芋煮汁や郷土料理を食べてもらう内容だ。初年度は80人の来客だったが、今年は260人も来てくれた。愛知県から飛行機でやってくる人もいた。

春樹さんはこのイベントに外から来る人が増えれば、過疎が進むふるさとに元気を与えることができると考えている。鮎獲り名人のおじいさんと話してファンになる人、農家民宿に泊まってリピーターになる人なども生まれている。その土地がつないできた作物にまつわる物語をお年寄りたちは語り継いできた。その宝を受け継ぎ、次につなげていくために、若い人が戻ってきたり、新たにやってくるようになればいいと、春樹さんは考えている。

この春樹さんをそばで支えているのが、妻の衣利子さん（33）だ。ふたりは芋祭の会場でもある、地元の廃校になった小学校で昨年、結婚式をあげた。衣利子さんは元々、農家の嫁になるのが夢だったという。「家族みんなで一緒にやるからこそぶつかることもあるけれど、話し合いながら一緒に空間を共有しているのが素敵だなと思って、農家の嫁に憧れた」と、衣利子さんは言う。そんな衣利子さんを春樹さんは「僕よりも芋に対する情熱がある」と笑う。

5

ふたりは今年、古民家を改修して、自宅兼宿として「森の家」をオープンした。甚五右ヱ門芋を通じて出会い、真室川の価値を理解してくれた人たちだけが泊まれる場所にしたいと考えている。宿泊期間は4月〜9月中旬、週に一組のみ。10月以降は芋仕事で繁忙期となるため、受け入れはしていないという。地域活性のための協力金を年会費とする会員制のゲストハウスにする予定だ。

佐藤家がつないできた甚五右ヱ門芋の種が、価値を共有する人々を引き寄せる磁場となり、真室川の未来を照らし始めている。

（2014年10月号）

甚五右ヱ門芋・佐藤さんちの芋煮

つゆの最後の一滴まで滋味深い味わい

東北地方全体に広がる芋煮文化のなかでもちょっとユニークな、原木なめこの入った佐藤家直伝の芋煮をご紹介します。小ぶりながらしっかりした粘りが特徴の甚五右ヱ門芋に、原木なめこの香りととろみが合わさった味わいは、まさに絶品。いくら食べても飽きのこない滋味深い芋煮です。

甚五右ヱ門芋は洗って土を落とし、皮をむきます。こんにゃくは一口大にちぎり、ねぎは青い部分までぶつ切りに。原木なめこは石づきを切って食べやすく分け、牛肉は食べやすい大きさに切ります。鍋で里芋とこんにゃくをゆで、原木なめこを加えてさっと煮ます。芋が柔らかくなったら牛肉を加え、しょうゆ、砂糖で味つけを。ねぎを加えてひと煮したら、でき上がりです。

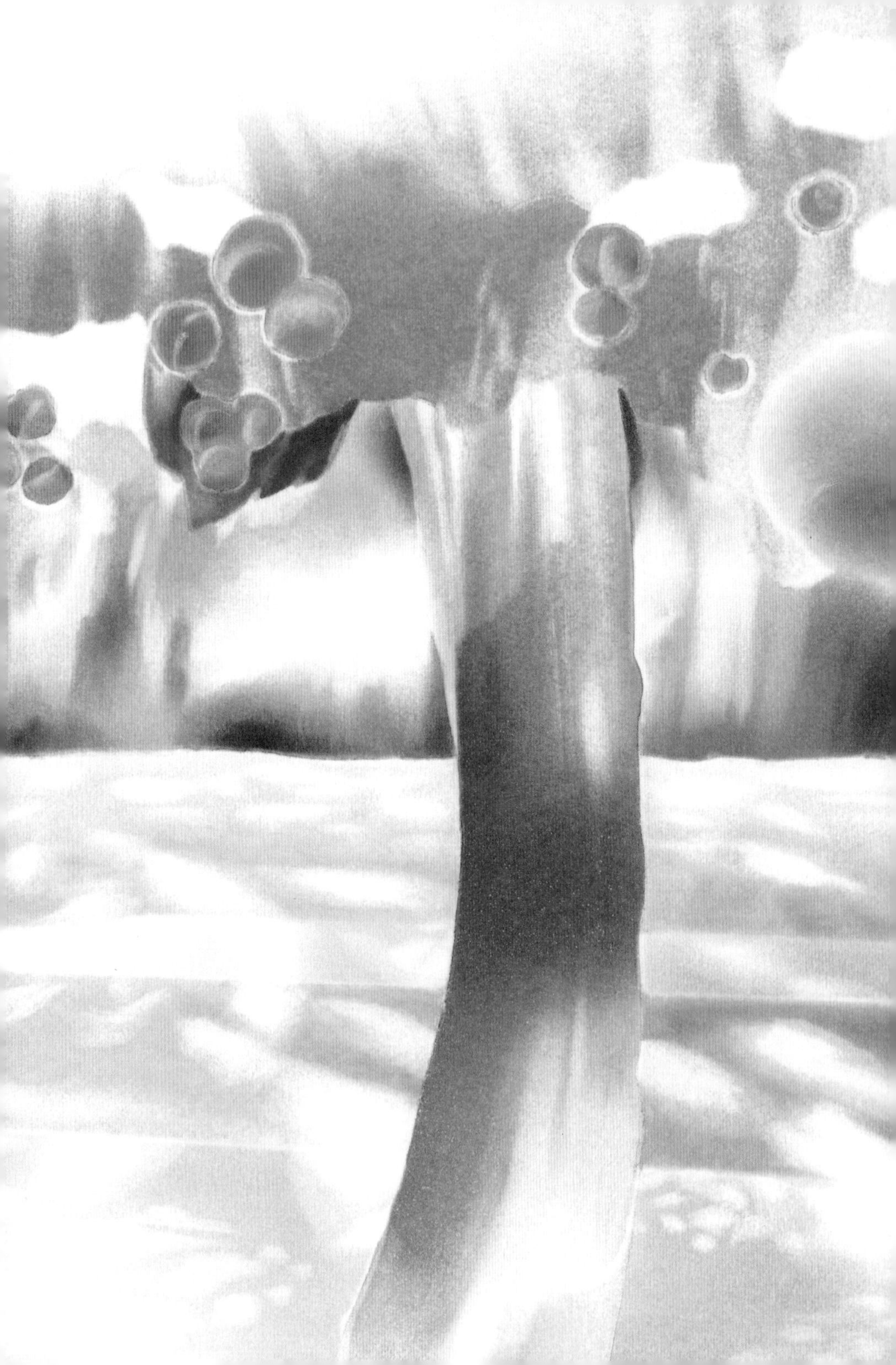

第2章　果樹と語らう

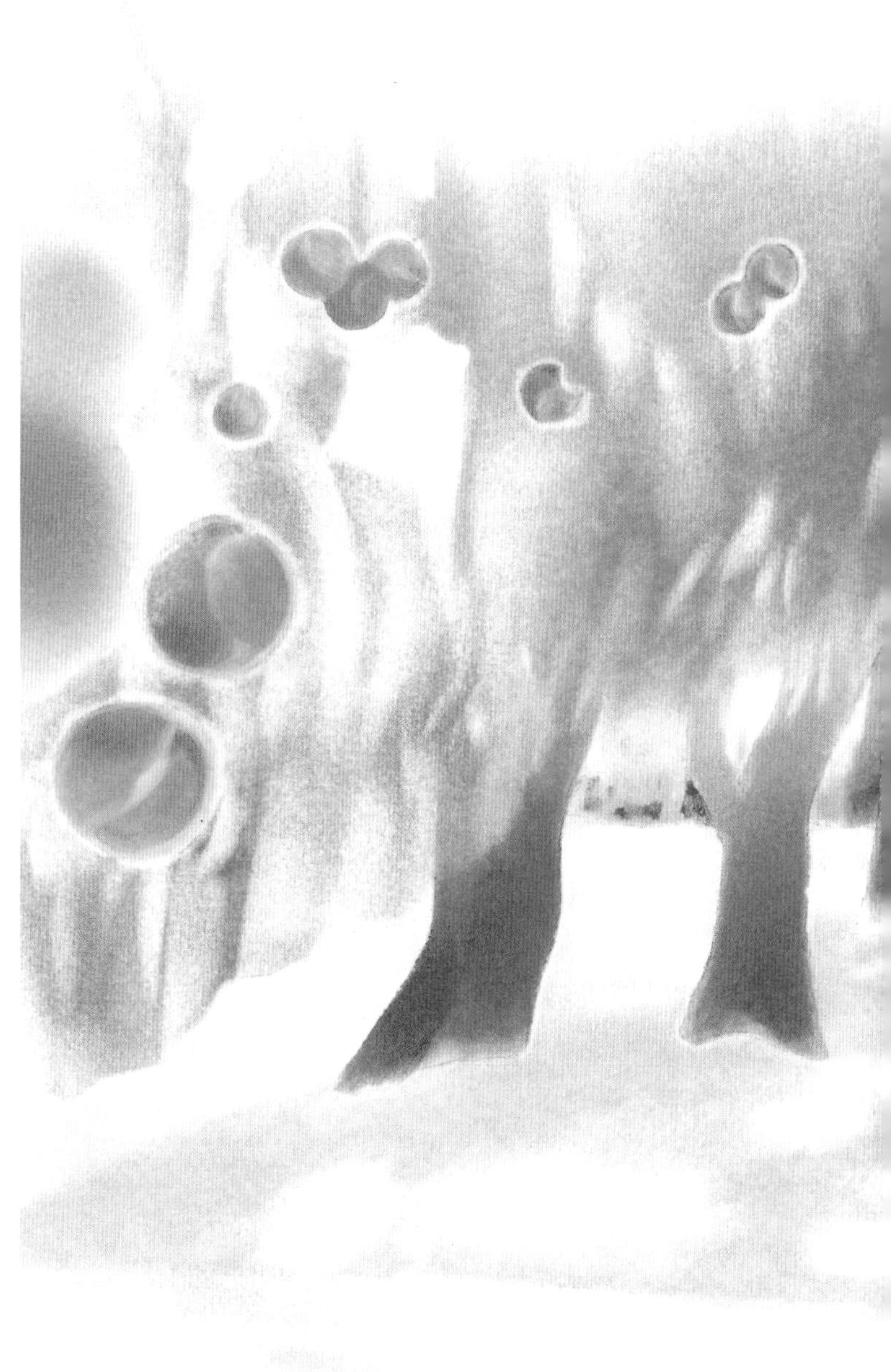

誠実転じて桃、実る

福島県桑折町大字谷地字右近・羽根田幸将さん

「待ち合わせは蕎麦屋で」。そう言われて向かったのが福島県桑折町、国道4号線沿いの蕎麦屋「。翻久里亭」。店の奥の蕎麦打ち場では、背の高い青年が丁寧にのし板の上を片付けている。約束していた桃農家が現れるのを待っていると、額の汗をぬぐいながら「どうも」とその青年が近寄ってきた。はねだ桃園の三代目、羽根田幸将さん(28)だ。

キャンバスは畑
内気な少年は桃農家になった

はねだ桃園は祖父の故・幸一さんの代から、飲食店と農家を兼業してきた一風変わった農家だ。祖父は米や野菜をつくり、「新鮮な食べものを地域のみなさんに提供できる」と、ドライブイン「ぽんぐり」をオープンした。ちなみに「ぽんぐり」とは松ぼっくりの方言で、山から松ぼっくりがコロコロと転がって麓に集まるようにお客さんが集まってきてくれれば、という想いが込められている。祖父の食堂を父が引き継ぎ、洋食屋、蕎麦屋と中身を変えてきた。

幸将さんは男ばかりの4人兄弟の次男。「子どものころから職人に憧れていたんです」と言う。機械では決してできない、自分の手でものをつくるということがしたかった。高校卒業後は美術教員を目指して山形大学に入学。教員採用試験を受けるが、3年連続で不採用。2015年、4回目の採用試験を迎える。これでダ

1

1 午前5時3分、日の出の桃園で収穫が始まる。

2 はねだ桃園のこだわりは、何と言っても「完熟」であること。桃の軸の周りが淡いクリーム色になっているのがそのサイン。3「毎日息子と一緒に働いていると、どこで何してるかって心配しなくていい。それが幸せなこと」と語る父・建伸（けんしん）さん（65）。

メなら諦める、と挑んだ試験の合否の結果は、不合格。直後、父に胃がんが見つかり、余命3ヶ月と宣告された。兄弟4人はすぐに集まって、家族会議を開いた。当時、幸将さん以外の3人は福島県内で働いていたが、「どうする?」とみんなに聞くより先に「俺がやる」と言った。

次男の帰郷、そして「フクシマ産」と向き合う日々

父は胃の3分の2を摘出する難しい手術に奇跡的に成功し、半年の休養を経て畑に戻った。幸将さんが帰ってきたとき、畑は6反歩ほど。震災前はこの3倍あったが、あまりの風評被害の苛烈さに、父は農地を手放していたのだ。福島第一原発から約66km離れた桑折町にも爆発に伴う放射性物質が降った。雪の中、一本一本の果樹を除染するなど努力の甲斐もあり、原発事故後初の収穫から、基準値を超えることは一度もなかった。そればかりか、２０１３年９月からは放射性ヨウ素・セシウム１３４・セシウム１３７の全てにおいて検出限界以下の結果が続いている。それでも一度失墜した「フクシマ産」へのイメージを取り戻すことは難しい。収入は3分の1に落ち込んだ。

2

２０１６年、幸将さんは1年間の研修を終えて、本格的に家業を継ぐ。桃づくりの楽しさに目覚め、積極的に農地を拡大。蕎麦づくりの腕もあげたいと、福島や山形、東京の蕎麦屋を巡っては研究を重ねた。ある日ふとテレビをつけると、そこに福島県知事と握手を交わし、満面の笑みで自分たちの野菜をPRする福島の農家の姿が映った。同じ福島の農家が輝いているのに驚いた。すぐに出演していた福島県の若手農家グループ「ふくしまプライド」に電話をし、メンバーに会いに行った。たくさん質問を用意して行ったが、自分の質問はほとんど覚えていないという。「果物をつくってどうのこうのではなく、農業を通して人と人とを繋ぎたいという話を聞いて衝撃を受けました。農業にはいろんな可能性がある、と気づかされました」。この日から、

4「桃は自分の分身」とまで言い切る幸将さん（左）。桃に注がれる眼差しは鋭く、優しい。

学べることは全て学ぼうと、とにかく外に出るようになる。農業技術や経営に関するセミナーがあると聞けば片っ端から申し込んだ。

はねだ桃園を語る上で忘れてはならないのは、GLOBALG.A.P.（グローバルギャップ、以下G-GAP）だ。農家が食品の安全性や環境保全、労働安全などに配慮して営農していることを認める国際的な認証制度で、218もの項目の基準を満たし、マニュアル化することが求められる。帰郷後間もなく、父の代理として参加した地元のスマート農業推進委員会の集まりで、根強い風評被害を払拭するためには第三者からの安全性の評価が必要だと聞き、幸将さんはその通りだと思った。すぐにG-GAP取得に動き出し、2016年9月に1年半かけて取得。桃農家としては国内初の取得になる。

見上げてひねって覗き込み
完熟を見極める

「じゃあやりましょう」という幸将さんの掛け声で腰にカゴを下げ、脚立を抱えて移動する。脚立を登って、桃を見上げて手を伸ばし、手のひらで覆うように優しく握ってから、ひねるように桃をとる。はねだ桃園の一番のこだわりは「完熟」で収穫すること。見極めるポイントの1つ目は形と大きさ、2つ目は産毛の感触、3つ目は果実の弾力、そして4つ目は軸側の皮の色だ。この4つのポイントを、下から見る＝形と大きさ、優しく握る＝産毛の感触と果実の弾力、上側を覗き込む＝軸側の皮の色と、

5 採取した花粉をヒカゲノカズラという植物の胞子に混ぜて希釈し、毛ばたきに付けてポンポンと受粉させる。6 摘果した桃の実。このまま土に戻り肥料になる。どれだけ果実をならせるのが適切なのか木と対話し、桃を落とすのが桃農家の仕事だという。

一つひとつ確認しながら収穫している。桃を覆う産毛は完熟を迎えると微妙に柔らかくなり、ふわふわとした触感になる。握るとゴムのように反発力があるものが熟しているのだが、桃が傷まないよう、ギリギリの圧力で握らなければならない。手の〝骨〟ではなく、〝肉〟で握る感覚だという。はねだ桃園は現在、３町４反の畑に４００本の成木があり、最終的には約８００本の木が育つ。周りの農家には「そんなにできるのか？人手は足りるのか？」と常に怪訝な目で見られるという。そんなとき、幸将さんの脳裏に浮かぶシーンがある。子どものころ、夜に酔っ払った祖父が上機嫌で帰ってくる。そして４人の孫を見るや否や、一人ひとりの手を握り、「人生は一回なんだから夢を持て。失敗したっていいんだぞ」と30分以上語りかけるのだ。

　幸将さんは地味だ。直売、農家と蕎麦屋との二刀流、Ｇ-ＧＡＰの取得など、ＰＲポイントになる要素はそろっているのに、それを誇示するそぶりすら見せない。彼を見ていてぴったりくるのは「誠実」という言葉だ。インタビューでは、「う～ん」と熟慮しながら言葉を選ぶ。道の駅で美味しい桃を問われると、自分のものではなくても懇切丁寧に教える。そう彼に伝えると、驚いたように蕎麦打ち場の中を見せてくれた。外からは見えない柱の裏に、「誠実」という字が飾ってあった。「誠実って、言ったことを成して実らせるという意味だと思うんです。蕎麦づくりも桃づくりも、食べてくれる人への〝美味しいものをつくります〟という約束を果たすということ。だから絶対に手を抜けない。自分がやれる１００％をやってきたかが、全部味に出るんです」。収穫後の畑に並ぶ、ぎっしりと桃が詰まったコンテナには「幸」の字が。初代の祖父・幸一さんの一文字だ。不思議なことに、羽根田家の４人兄弟で幸将さんだけがこの「幸」の字を譲り受けている。「大丈夫、幸せは積み上げていけばいいんだ」。そう祖父が語りかけているような気がした。（２０１８年７月号）

5 | 6

完熟の桃の、最高の食べ方

皮ごと香りもいただく
桃とモッツァレラのサラダ

完熟の桃のおすすめの食べ方は、氷水で冷やして皮ごと食べること。氷水に15分浸し、水の中でうぶ毛をやさしくこすり落としていただきます。皮の下には糖を運ぶ管があるので、皮ごと食べるとその甘みを逃がさず味わえるのです。

皮ごとおいしくいただく料理をひとつ。人気の桃とモッツァレラチーズの組み合わせですが、香りの成分は皮と果肉の間に多く含まれるので、むかずに使うと、いっそうおいしくなります。洗ってうぶ毛を落とした桃を一口大に切り、ちぎったモッツァレラチーズ、生ハムとともに器に盛ります。レモンの皮のすりおろしを散らし、ディルをのせて、塩とオリーブオイルをかければ完成です。

家族ぐるみで胡桃をつむぐ

岩手県九戸村江刺家・小井田重雄さん、寛周さん

小井田立体農業研究所は、岩手県九戸村の山間の傾斜地に広がる。3ヘクタールのエリアに胡桃の木が50本立ち、うち30本は樹齢65年、20本が樹齢45年になる。小井田重雄さん(62)はこの木の下に、10頭の乳牛と40羽の鶏を放し飼いしている。草は牛が食べてくれるので除草剤はいらない。牛糞は木の栄養になるので化学肥料もいらない。土中の害虫は鶏が食べてくれるので農薬も不要。さらに牛は牛乳を、鶏は卵をつくってくれる。草刈りや除草剤を撒く時間を、他の作業にあてることができる。

取材に訪れた11月下旬、長男の寛周さん(31)は夏場に刈り取り、牛舎の2階に保管した牧草を雪の上に広げていた。「牛にも序列があるので、みんな食べられるようにまんべんなく広げます」。一方、父親の重雄さんはタイヤにチェーンを巻きつけたジムニーで、農場内に点在する鶏小屋を軽快に回りながら給餌していた。鶏は牛乳を飲ませるようになってから、たくさん卵を産むようになった。

平面か立体か
その答えは決まっていた

日本ではあまり知られていないが、昭和初期、ガンジーと並ぶ聖人と称され、世界的に有名だった日本人がいる。協同組合運動の父・賀川豊彦だ。農村の貧困解消のために奔走した賀川がデンマークから学び、提唱したのが「立体農業」。立体農業とは、樹木や家畜を取り入れた循環型農業のことで、広大な面積がなくても農民が十分に食べていけるよう、地面だけでなく空間も利用して〝立体的〟な生産性がデザインされている。おりしも凶作に襲われ、子どもの身売りや飢餓などの惨状が東北地方に広がっていた当時。賀川は、ドングリやトチの実を主要食物としていた日

1 牛は基本的には昼夜放牧する。2 胡桃の大木から木漏れ日が降り注ぐ小井田さんの小さな農場は、どことなく日本っぽくないファンタスティックな雰囲気が漂う。3 昭和30年に建てられた小井田家の牛舎と、胡桃を狙うリスやネズミを獲ったり獲らなかったりする気まぐれな猫。

本の先住民族の風習が今なお保存されている地方があると知り、これを再興させることこそが困窮する農村を救う道だと訴えた。重雄さんの父、与八郎さん（故人）は雑誌で連載が始まった賀川の小説『乳と蜜の流る丶郷』を読み、立体農業に傾倒する。戦後、父親の反対を押し切り、胡桃の木を植えるところから立体農業を始めた。与八郎さんは小学校しか出ていなかったが、実に勉強熱心だったと重雄さんは回想する。独学で研究を重ねた与八郎さんはやがて乳牛と鶏を飼い始め、立体農業の骨格が少しずつできあがっていった。

掘り起こされた人骨と まつろわぬ民の末裔

胡桃の木が立ち並ぶ小井田家の農場の一角には、ある石碑が建っている。天正19年、豊臣秀吉に破れた南部の武将、九戸政実に従って落ち武者となった兄弟ふたりが隠れ住み、その死後、墓碑がわりにヒバが植えられたところだと書かれている。与八郎さんはそのヒバが遠い昔に伐採されたことを、言い伝えとして聞いていた。そして昭和30年代、農場の開墾中、ふたつの人骨が出てきたのである。重雄さんは、父から「自分たちは彼らの末裔だ」と聞かされてきた。重雄さんは鶏の餌やりを終えるとこの石碑の前に立ち、先祖に感謝しながら手を合わせるのが日課になっている。

1

　古代アテルイに代表されるように、東北の蝦夷は大和朝廷から決して服従することがない民として恐れられ、「まつろわぬ民」と言われた。その末裔として相応しい生き様を示した兄弟を先祖と信じる重雄さんは、九戸町を含む南部藩の民の気質をこう語る。「南部は日本一の百姓一揆多発地帯だった。中でも三閉伊一揆は近世最大規模で、凶作に苦しむ1万数千人の農漁民が、藩の課す重い負担に異議を申し立てるため立ち上がった。そういう土地柄なんです」。

　重雄さんは宮城県農業短期大学に2年間通い、実家に戻り就農した。

胡桃を拾う重雄さん（右）と寛周（左）さん。栽培するのは、優しい甘みが特徴の「手打胡桃」。殻が薄く、手で割れることからその名がつけられた。

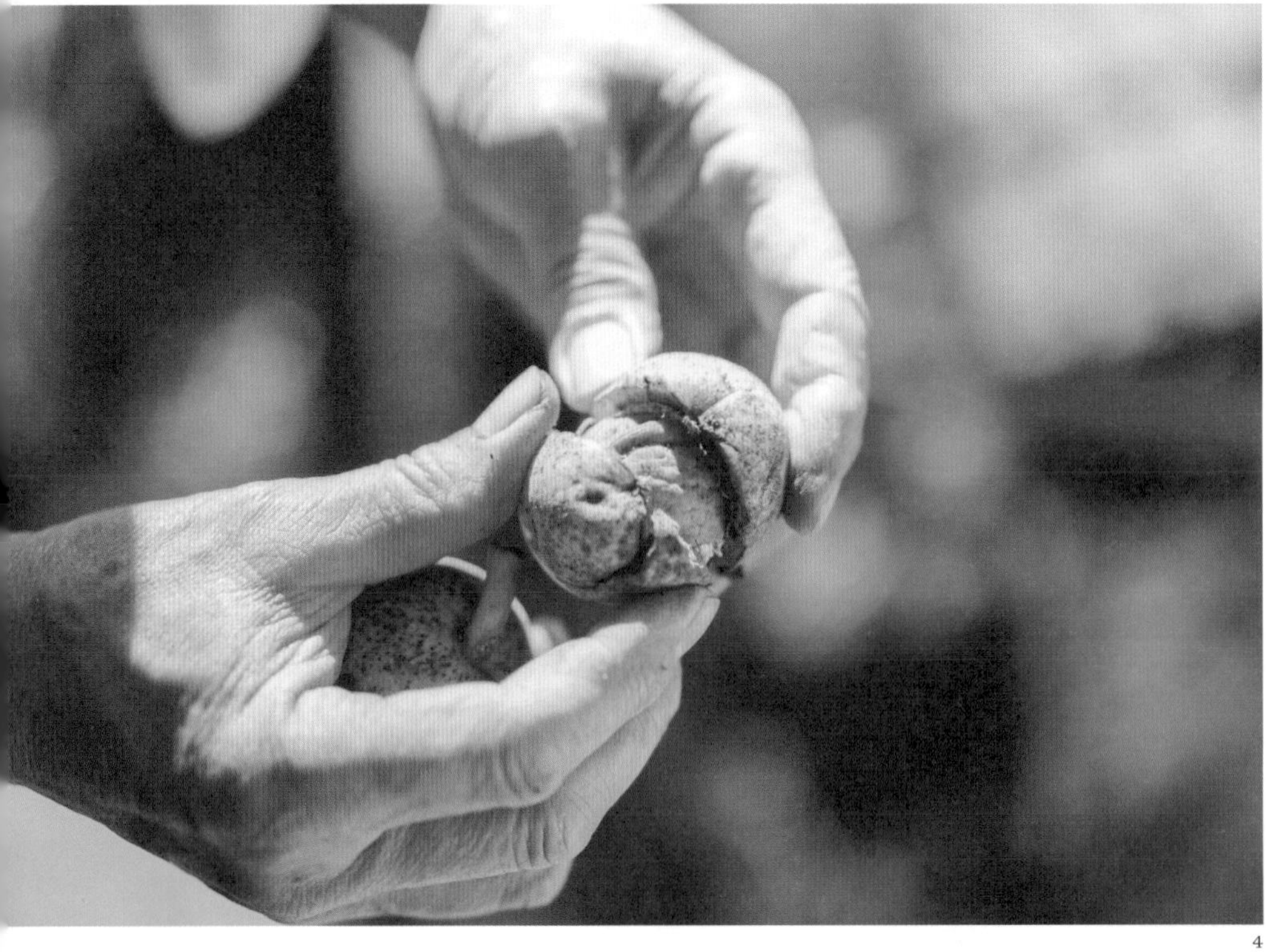

4 完熟すると皮がパカッと割れ、見慣れた胡桃の実の部分が現れる。国内で流通する胡桃のほとんどは輸入もののむき胡桃。農場で殻を剥いたばかりの胡桃を食べると、そのフレッシュな味わいに驚かされる。5 拾った胡桃を洗う寛周さん。機械にも年季が入っている。

農業から工業へと舵を切り、経済大国への道をひた走った当時の日本。しかし与八郎さんと重雄さんは、その流れに抗うかのように立体農業を続けた。その信念は、お金よりも大切なものがあるという小井田家の哲学に裏打ちされている。「豊かさを測る物差しがお金とモノに偏り過ぎている。ほどほどの生産量で家族が食べていけさえすれば、贅沢はできなくても楽しんで暮らせるんじゃないか」。自然の循環を活かす立体農業は自給的に「食べていける農業」を、

5

自然を収奪する平面農業は換金のために作物を大量生産する「儲かる農業」を志向する。農業基本法の施行以降、日本は「儲かる農業」を目指してきたが、大規模化で借金を抱え、離農した農家も少なくない。さらにお金だけに豊かさの基準を置くならば、農業よりも楽に稼げる仕事は都会にいくらでもある。実際、日本の農村はどこもかしこも高齢化と過疎化に頭を抱える羽目になった。人間も自然の一部に過ぎないという自覚を持ち、その恵みに感謝しながら、家族みんなで健康に生きる。重雄さんはこういう生き方こそ豊かだと思う。今世紀半ばには世界人口は１００億人を突破する。世界的な食料需給の逼迫が懸念されているが、「食べていける農業」は、それに対するひとつの答えになると確信している。

何の仕事につくかじゃない どう生きるか、それが大事なんだ

しかし、今日に至るまでの道のりは平坦なものではない。１９８９年、胡桃の輸入が自由化されたことは大きな痛手だった。アメリカから安い胡桃が大量に輸入され、5年ほど胡桃が売れない苦境が続く。すると救いの神が向こうからやってきた。郵便局がお中元・お歳暮ギフトの「ふるさと小包」というサービスを始め、「胡桃を出さないか」と声がかかったのだ。ふるさと小包をやめて10年以上経つが、最初のころの顧客が今も残っている。東京から見学に来てくれた顧客もいる。これまではただ生産すればいいと思っていた重雄さんだが、最近、考えが変わってきた。もっとたくさんの人に農場に来てもら

6 寛周さんの母方の祖父母・安蔵さん（84）とツサさん（80）。安蔵さんがトンカチで胡桃を割り、ツサさんが中身を綺麗に出す。7 隣町の温泉宿に飾られた木の人形。岩手県北部まで来ると、自然造形をそのまま活かした独特の世界観が広がる。

い、ファンを増やしたい。寛周さんは小井田立体農業研究所のフェイスブックページを立ち上げ、農場の「今」を定期的に伝えている。

寛周さんは父とは異なり、物静かな青年だ。母に言わせると、3人の子どもの中で一番農作業の手伝いを嫌っていたから、まさか戻ってくるとは思わなかったらしい。北海道の大学で経済学を学んで卒業後、ホームセンターに就職。転勤で岩手県釜石市に赴任したのが2011年3月1日。その10日後、東日本大震災に遭遇した。「震災までは漠然と生きていた。ああいうことになって、どう生きるかを考えるようになった」。2年後、転勤の辞令が出たことを契機に会社を辞めて、実家に戻った。

寛周さんは小学生のころから、岩手県の三大神楽の一つである郷土芸能「江刺家神楽」をやってきた。しかし、本家本元の江刺家神楽は後継者不足で一度消滅。それをなんとか復活させてほしいと頼まれたのが重雄さんだった。仲間たちに声をかけ、保存会を設立。34年前にその代表を引き受けた。今では小学生から高校生までを指導する。重雄さんが子どもたちに伝えるのは、神楽の舞い方だけではない。重雄さんの人生のポリシーを伝えている。「立体農業を続けることができたのは、自分の生き様を大事にしてきたから。それは、人間も自然界の一部に過ぎないということを示す生き様。何の仕事につくかじゃない。どう生きるか、その生き様こそが人生にとって大切だと教えている」。

重雄さんは、経済成長ばかり唱える現政権に怒りを感じている。なぜ農業が必要か、なぜ農村が必要か。食料安全保障の観点から「みなさんの命を農業が守っている」ことを国がちゃんと言い続けていたら、農村はここまで疲弊しなかったんじゃないか。軽トラックの後ろの窓に貼られた一枚の紙には、「TPP断固反対」と書かれていた。保守的な農村で自分の意思を明確に示すことは簡単ではない。これも重雄さんの生き様のひとつなのだ。

（2017年12月号）

胡桃の食べ方、いろいろ

1　胡桃入り田作り

弱火でゆっくりいったごまめに粗く刻んだ胡桃を加え、しょうゆ、砂糖、酒を煮つめたたれをからめれば、でき上がり。香ばしく、お酒に合わせるのもおすすめの一品です。

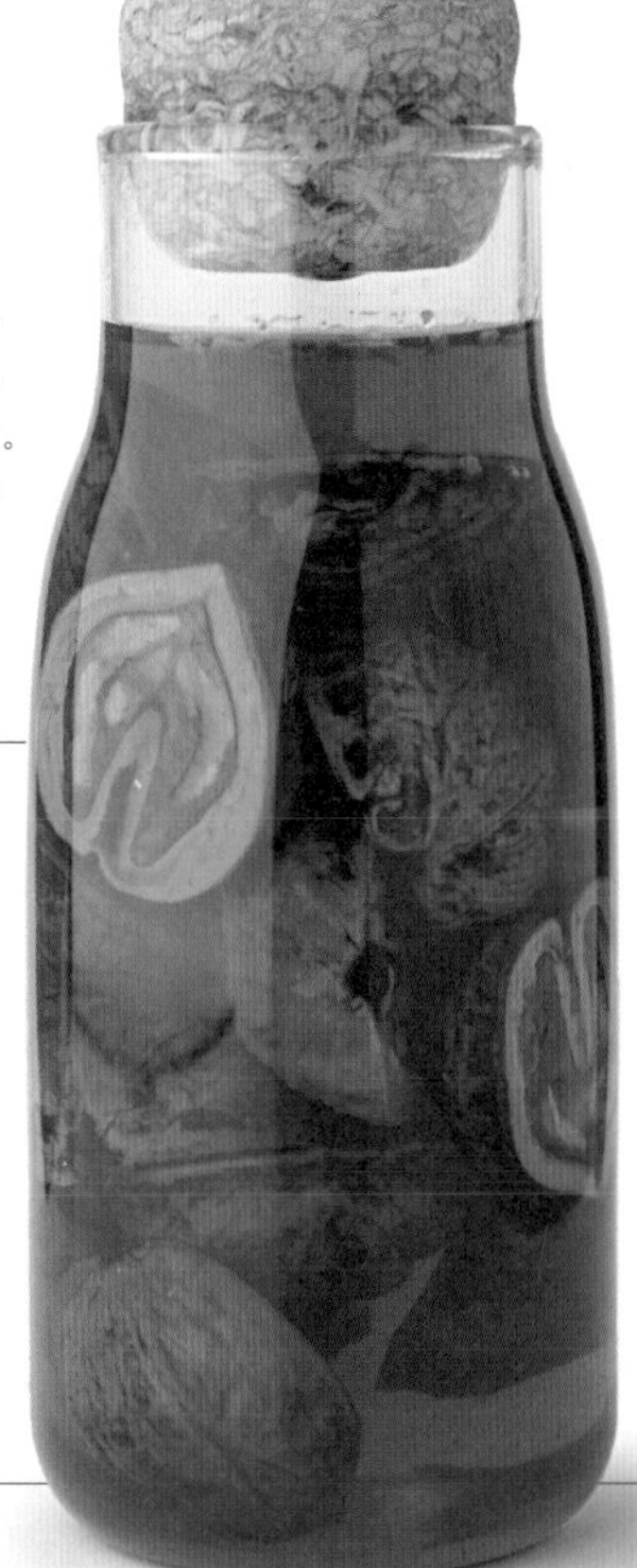

2　胡桃酒

ホワイトリカー(焼酎やブランデーでも)に砂糖と、胡桃を殻つきのまま漬け込み、3カ月半～半年おきます。お湯やミルクで割って飲むほか、お菓子の風味づけにも。

紀元前から食されていた、胡桃は世界最古のナッツ

紀元前7000年ごろには食されていたという胡桃。現在、国内で流通しているものの90％以上はアメリカ産です。また、殻つきでの輸入は禁じられているため、私たちがふだん食べている胡桃のほとんどが、アメリカ産のむき胡桃ということになります。殻つきを見つけたら、それはとても貴重。ぜひ、むきたてのフレッシュな味を楽しんでみて。

3 胡桃入りクリームチーズのオードブル

室温にもどしたクリームチーズに、粗く刻んだ胡桃とドライフルーツを混ぜ、ラップで棒状に包んで冷やします。輪切りにし、パンやクラッカーにのせていただきます。

4 胡桃とみその鶏松風

鶏ひき肉にパン粉や卵、赤みそ、みりん、酒を加えて練ったたねに刻んだ胡桃を加えます。平らにしてけしの実を散らし、オーブンで焼いて一口大の正方形に切り、½量に青のりをのせます。

1 鈴木さんのぶどう畑の脇を流れる横手川。

我が娘のようにぶどうを育てる

秋田県横手市大沢・鈴木靖之さん

7月下旬、秋田県横手市大沢地区。「葡萄屋 久兵衛」の鈴木靖之さん(37)は、父の三郎さん(69)や母の貞子さん(65)と、ぶどうの房を袋で覆う作業に追われていた。ぶどうは〝食べる芸術品〟だから、味だけではなく見た目や触り心地、食感など、五感に訴えかけるものでなければならないというのが靖之さんの信念だ。「自分はぶどうの育ての親。実の家族よりも長い時間を共に過ごすぶどうを娘のように思っている。娘たちをきれいな顔立ちに育ててあげたいから、そのための手間は惜しまない」。この揺るぎない信念は、父の三郎さんから受け継がれたものだ。

畑で育つ「娘」たち、後何回その成長に立ち合えるのか

横手のぶどう栽培は戦後に始まり、ぶどう産地としては後発組。三郎さんは25年前、いち早く新たな栽培方法に取り組むなど、地域のパイオニア的存在を果たしてきた。近隣の果樹農家の集まりの会長を17年間務めるリーダーでもある。「今一番ほしいものはオヤジの脳みそ」。就農5年目の靖之さんはそう言ってはばからない。「労力はがんばればカバーできるが、判断力はそうもいかない。それは長年経験を積み重ねて醸成された知恵に基づくから」。37歳の靖之さんはあと40年働いたとしても、ぶどうの栽培を経験できるのはたった40回。ぶどうの樹の寿命はおよそ40年

2 収穫時期の遅い品種は害虫や病気のリスクを避けるため、ひと房ごとに袋がけを行う。3 雪害を生き抜いた「出来損ない」のぶどうの樹。幹からは「木根」と呼ばれる根が伸びる。空気中の水分を吸って生きようとする、ぶどうの生命力の現れだ。

だから、樹が育ち、老いて朽ち果てるまでの一生に至っては、たった一度しか経験できない。父から学べることはなんでも学ぼうと決めた靖之さんは、三郎さんを師匠にして、その知恵をひたすら吸収してきた。

震災、そして4年間に渡る雪害 覚悟と共に農業に向き合う

今では師と崇める父の仕事を、靖之さんは昔、嫌っていたという。小学校の授業参観日、母は作業着のままバタバタとやってくる。日曜日の朝7時に同級生の家に遊びに行くとみんな寝ていて、農家じゃない家庭では休日ゆっくり起きることを知った。都会に憧れ、高校卒業後は迷わず仙台へ。就職し出世もしていたある日、実家の父親の白髪が増えていた。「自分が農家を継がなければ、長く続いてきた畑はどうなるんだろう」。2010年、靖之さんはふるさとにUターン。しかし翌年、大震災が起きる。被災した仙台を見ていたら、農業はあきらめ、震災復興関連の仕事をしたいという気持ちが募った。心が揺れ動いていたとき、友人の言葉に背中を押された。「おまえひとりいなくても仙台は復興できる。でも、おまえの実家はおまえがやらなかったら誰がやるんだ」。横手に戻った靖之さんだったが、就農翌年の冬から豪雪が続き、今度は雪害に苦しむことになった。「樹を傷つけないよう除雪機は使えない。ひたすら人力で除雪する体力勝負。もはや知識や技術ではない。雪国で果樹栽培をやるのに必要なのは覚悟なんだと痛感した」。覚悟は問われたが、大震災の被災地に比べれば、それほど深刻でもないとも思えた。亡くなった人はいない。天気予報を見れば、事前に備えることもできる。

「農楽交」という覚醒装置 ぶどうの物語が花開く

雪害で気づきも得た。畑に、どうにも出来の悪い一本のぶどうの樹があった。雪害で他の樹は全滅したが、

4 注意深く観察しながら、ハサミで余分な粒や房を切り落とす。房全体を大きくし甘みを引き出すため、この間引き作業が欠かせない。5 7月のある日。果汁がたっぷりと含まれてくるのは、まだこれから。6 6月初旬、ぶどうの花が咲いた。(写真：鈴木靖之)

なぜかこの樹だけ生き残り、その年の夏、それまでにないほど鮮やかな色をつけたのだ。救世主となったこの樹のぶどうを食べ、靖之さんは初めておいしさと愛着を感じたという。鈴木家を雪害から救ったぶどうのストーリー。靖之さんは、その価値に気づく。「背景のストーリーを伝えて売れば、もっとおいしく食べてもらえるんじゃないだろうか」。この経験がターニングポイントになった。

かくして《農》に関わるすべての人が《楽》しく《交》流できる場として、2013年に誕生したのが「農楽交(のうがっこう)」。生産者と消費者が直接語り合い、意見を交わす交流会だ。「今の時代は情報が氾濫し、消費者との距離が遠くなっている。情報の質で勝負するしかない」。農楽交は今、自分の言葉で消費者に価値を伝える訓練の場であり、伝えたいことをわかりやすく伝える「翻訳力」の学びの場でもある。「張り合う相手がいないと、結局突き抜けられなかった。だからみんなで高め合い、底上げしていこうと思った」。

靖之さんは最近、あるプロジェクトに挑んだ。娘同然に育てたぶどうにとって、出荷のときはいわば〝ハレの日〟。だから、花嫁衣裳を着せて嫁に出したいと思ったのだという。衣裳である箱の開発資金をクラウドファンディングで募り、支援は目標金額をなんとか上回った。生産者と消費者の関係を、「行きつけの農家」と「常連さん」の関係にしたい。これが靖之さんの目指す農業の姿だ。毎日作業が続き、正直、息つく暇もない。それでも待ってくれる人がいるなら、自分はもっとがんばれる。そしてもっとぶどうを人事に育てられると、靖之さんは考えている。娘が将来、「お父さんの職業なに?」と友だちに聞かれ「農業です」と答えたとき、「嘘でしょ」と羨ましがられるのが目標だという靖之さんは、ブランドのポロシャツ姿で作業をする。昨年産まれた娘には、嫁ぐ日に立派な花嫁衣裳を整えてあげられるよう、自分自身への覚悟も込めて「結衣」と名づけた。(2015年8月号)

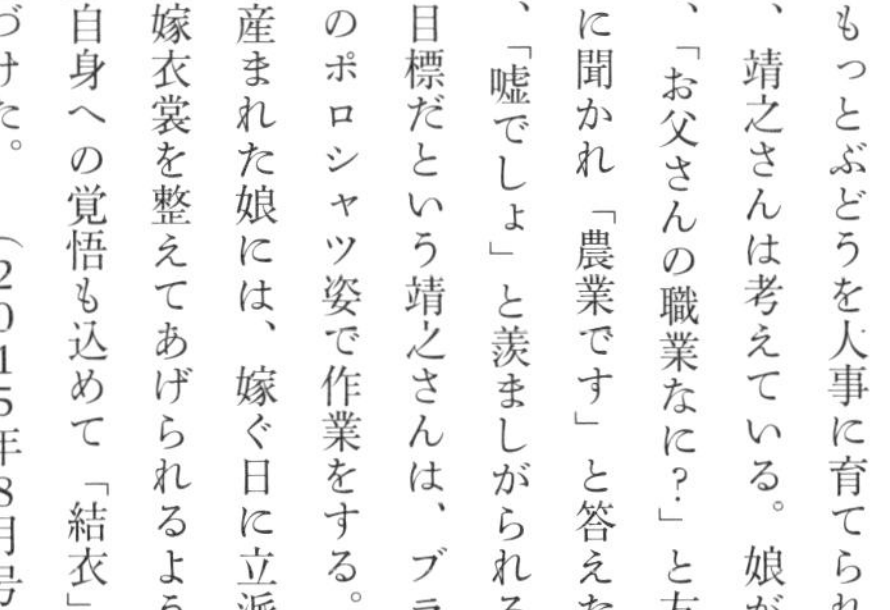
6

ぶどうをメインディッシュに

ハーブの香りをきかせた おもてなしにも使えるサラダ

そのまま食べることの多いぶどうですが、料理に使うと、塩味とぶどうの甘み、渋みで味わいのバランスがとれて、シンプルなサラダも大変身します。ご紹介するのは、ハーブと、コリアンダーシードの香りをきかせたモロッコ風。ぶどうはお好みの品種で。

牛もも肉のかたまりは塩とオリーブオイルをふって表面だけを焼き、スライスします。縦半分に切って種を除いたぶどうと、食べやすくちぎったレタス、イタリアンパセリやミントとともに器に盛り、オリーブオイル、レモン汁、レモンの薄いいちょう切り、にんにくのすりおろし、コリアンダーシード、塩、こしょうを混ぜたドレッシングを回しかけます。

レタス

イタリアンパセリ

ぶどう

レモン

コリアンダーシード

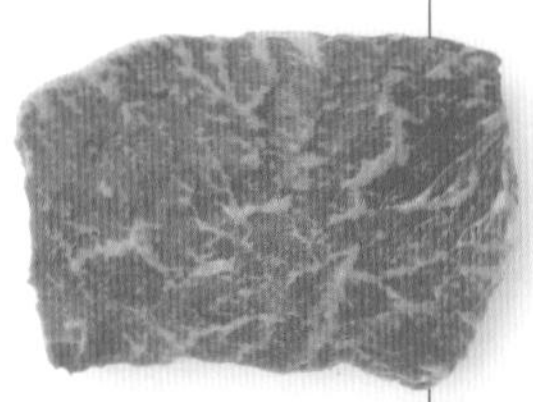

牛肉

第3章　水の恵みを守り育む

1 自慢の牡蠣を手にする清広さん(左)と息子の伸弥さん(右)。

自然のお陰で生かされている

宮城県南三陸町戸倉・後藤清広さん

海を移動することを〝歩く〟と表現する男がいる。宮城県漁業協同組合戸倉出張所のカキ生産部会長、後藤清広さん(57)だ。彼にとって海上を船で移動することは、もはや陸上を歩くのと変わらないからだが、なぜ歩きやすくなったのか。それは、牡蠣の養殖筏の数を東日本大震災後に3分の1に減らしたからだ。

震災前、筏と筏の間隔は10mしかなく、過密状態だった。そのため牡蠣は、大きく育つのに時間がかかった。後藤さんは震災を機に、筏の数を大幅に減らすことを決意。37人の漁師を説得し、その間隔を一気に40mに広げた。長年の経験に基づく勘で決めた数字だったが、科学的にも理にかなった数字だった。牡蠣は小さな体で1日400リットルの海水を濾過しながら、栄養を取り込んでいる。1本100mのロープからなる筏には10万個の牡蠣がついているので、必要な海水量は4万キロリットルになる。長さ100m、深さ10m、幅40mで海水の体積を計算すると、ちょうど同じ4万キロリットルだったのだ。その結果、牡蠣の実入りは格段によくなった。

負のスパイラル

震災前の養殖筏の過密状態は、目先の儲けを競い合い、海を汚してきた南三陸の漁業の歴史そのものだ。養殖量を増やせば一時的には出荷量も増える。しかし牡蠣の成長は遅く

2 牡蠣が連なるロープを巻き上げる清広さん。機械に通すとロープから牡蠣が外れる。

なり、質も落ち、海が汚れていく。その結果起こる値崩れを出荷量でカバーしようと、さらに筏を増やす。この悪循環に南三陸の漁業は陥っていた。2年で水揚げできていたものが3年かかるようになり、病気にもかかりやすくなっていた。「自然の恵み以上に（牡蠣を）採ろうとしていた。みんなやりたい放題。筏の数を減らさないといけないと思っていたが、目先の売り上げもあり、誰も具体的に動けなかった」。そんな矢先に起こったのが、東日本大震災だった。

発災後、避難生活を送っていた後藤さんに、漁協から電話があり「カキ部会長に決まった」と告げられた。「人を引っ張っていくタイプではない」と自認するように、後藤さんの人柄は温厚そのもので、荒々しい気性の漁師が多い中にあって異色のタイプだ。なぜ自分が？　と、不思議だった。聞いてみると、部会長の候補としては数人が役員会で審議されたが、その中で唯一、誰からも反対の声があがらなかったのが後藤さんだったという。〝当たり障りのない男〟という消極的理由で指名された後藤さんは「すぐにクビになってもいい」と思い引き受けた。が、しかし、秘めたる思いもあった。過密状態にある筏の数を減らすことだった。

東日本大震災が残したもの

2011年の夏、東京大学の教授が南三陸の海底を調査した。するとそこには、綺麗な砂地が広がっていることが判明。津波が、海底に溜まっていた汚泥を持ち去っていったの

3 海中の牡蠣。1本のロープにいくつも連なっている。（写真：佐藤長明）4 清広さんが出漁する滝浜漁港から見える朝日。

だ。後藤さんは試験的に牡蠣の種を仕込んだ筏を海に入れた。3ヶ月後、驚いたことに立派な牡蠣が育っていた。震災前は十分な大きさの牡蠣を育てるのに3年かかっていたが、震災後はわずか3ヶ月で大きな牡蠣に育ったのだ。「やはり筏の数を減らさなければいけない」と実感した。

　同時に、自分たちの驕りにも気づかされた。いつの間にか自然を「コントロールできるもの」として扱ってこなかったか、と。「自然の限界を省みず、筏を増やすことがいかに愚かなことかが分かった。自然を敬う気持ちがあれば見返りは倍になるのに、驕りがあるから気づけなかった」。

　新部会長になった後藤さんは、漁師たちを集めて会議を開いた。地域の集会所は津波で流されてしまったため、20km離れた山間の公民館を借りた。そこで、筏の数を3分の1に減らすことを提案。少数派の若い漁師から賛同されたが、多数派の年輩漁師からは異論の声があがった。長年、水揚げ量を増やすことに執着してきた漁師たちには受け入れがたい提案だったが、気が短い漁師たちは早く会議を終わらせたくて形式的に賛成にまわった。後藤さんは2回目の会議を開く場所がないことを理由に会議を招集せず、形式的に決まったこの改革案を既成事実化していく。

　後藤さんはまた、個々人に割り当てられた震災前の筏の数を白紙に戻し、再分配する必要もあると考えていた。そこで、若い後継者の有無に応じてポイントを加点し、そのポイント数を筏の割り当て台数に反映させるというアイディアを思いついた。苦肉の策だったが、次世代に漁業をつなぐことの大切さを訴える後藤さんの呼びかけに、今度はベテラン漁師たちも納得してくれた。その後も漁師たちからはたびたび批判の声があがったが、ひたすら受け流し続けた。「震災前よりもよくなればみんな納得してくれる。だから批判の声も黙って聞いた。大事なのは、とにかく結果を出すことだと」。

　孤独な戦いに追い風が吹いた。被災地支援に訪れていたＷＷＦ（世界自然保護基金）のスタッフに新しい漁業のビジョンを語ったところ、ＡＳＣ（水産養殖管理協議会）の国際認証制度の取得を勧められたのだ。日本ではまだ馴染みが薄いが、ＡＳＣは海の自然や資源を守りながら行われる水産養殖業を認証する国際的な取り組みだ。日本ではまだＡＳＣ認証を受けている産地はなかったが、

3 | 4

5 自宅前の作業小屋で朝5時から牡蠣剥き作業をする清広さん。旬がとうに過ぎた8月頃までずっと食べ続けるほどの牡蠣好きだ。6 白い部分が多く、プリッとした剥きたての牡蠣。以前は栄養不足で全体が黒ずんで小さかった。

自分の目指す新しい漁業との親和性を確信し準備を始め、２０１６年３月30日、宮城県漁協戸倉出張所は日本初のＡＳＣ認証を正式に取得した。

その後、改革の成果は目に見える形で現れていった。筏の台数を減らしたことで牡蠣の成長が早まり、筏1台あたりにより手間がかけられるようになったので、格段に品質がよくなった。震災前は入札でも平均以下の価格しかつかなかったが、新しい牡蠣は平均より10％高い価格がつき、評価が高まった。結果が出るに伴い、漁師の意識も「人よりも多く」という意識から「協力して資源を分かち合おう」という意識に変化し、労働環境も大きく改善。以前は他人が4時に海に出るなら自分は3時に、といった具合に、根拠のない競い合いが労働時間を長くしていたのだ。

自然を畏怖する心があれば

労働時間は8時間で日曜日は休み。生産性は上がり、コストは下がる。育てた牡蠣も正当に評価される。こうした果実によって、浜に戻って養殖を再開する若者も現れるようになった。そのひとりが後藤さんの長男、伸弥さん(33)だった。震災後は石巻で建設業の現場で汗を流していたが、品質のよい牡蠣が育つようになったと聞いて実家に戻った。現在、浜には、20代の漁師が10人、30代の漁師が8人いる。

「私たちがやってきた漁業のやり方は、競い合って、奪い合って、他人に勝とうとするものだった。そして、競争して生き残るという古い価値観を若い人に押し付けてきた。仕事がキツイのは当たり前だと。これでは、後継者がいなくなるのも当たり前。労働環境がよくなって、プロフェッショナルとしてちゃんと評価してもらえるようになれば、若者もついてくるはずだ」

自然を畏怖する心があれば、この先も自然はずっと人間を活かしてくれる。後藤さんは疑いのない真っ直ぐな瞳で１００年後を見据え、今日も南三陸の海を歩いている。

（２０１８年２月号）

殻の簡単開け方ガイド

1　レンジで1分・グリルで2分

生／Raw

とにかく牡蠣が好き！　生牡蠣をこよなく愛す人向き。殻の内側には熱が入りません。生牡蠣として食べたり、牡蠣のキムチ風あえもの、アヒージョにするのもおすすめ。

2　レンジで2分・グリルで5分

生牡蠣に近い半生 / Medium-rare

表面はシャキ！　中はとろりの通向き食感はこちら。たくさん食べたいときにもおすすめの加熱ぐあいです。アヒージョや牡蠣のキムチ風あえものにするのにおすすめ。

加熱することで手軽に殻を開けられる

牡蠣の殻を開けるのは、軍手をしても、専用の道具があってもなかなかむずかしいもの。じつは加熱すると、殻に熱が伝わることで貝柱が離れ、簡単に殻が開きます。せっかくの生牡蠣の風味や食感を残しつつ、簡単に殻が開く加熱時間をご紹介。時間によって身の味わいや食感も変わるので、ぜひ、参考にしてみてください。加熱に使うのは電子レンジ（600W）かグリルの強火で。加熱するときは、殻の平らなほうを上にしましょう。

加熱して開いたかきのおいしい食べ方、いろいろ

開いた牡蠣は、いろいろな料理にアレンジするのも、違った味わいが楽しめてよいもの。加熱時間ごとに、

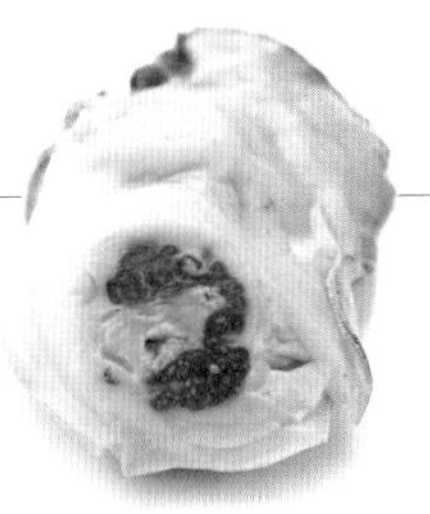

4　レンジで4分・グリルで10分

加熱 / Well-done

凝縮した風味を求める人はこちら。加熱しすぎない絶妙の加熱ぐあいをお試しください（ノロウィルス対策には中心部分を85℃で1分加熱をおすすめします）。牡蠣のマヨグラタンにおすすめ。

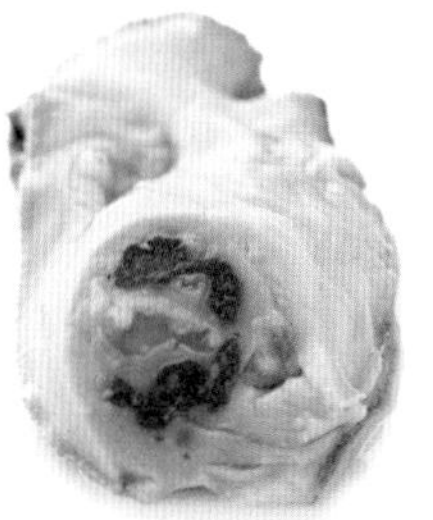

3　レンジで3分・グリルで8分

加熱された半生 / Medium

牡蠣のよさを堪能したい人向き。まわりはシャキ！　中はとろりの通向きはこちら。こちらもアヒージョや牡蠣のキムチ風あえものにおすすめです。

おすすめの食べ方をご紹介します。

●「生」〜「加熱された半生」におすすめ「牡蠣のアヒージョ」

牡蠣を、一口大に切った好みの野菜（じゃがも、マッシュルームなど）、にんにくのみじん切り、赤唐辛子とともにオリーブオイルで煮ます。

●「生」〜「加熱された半生」におすすめ「牡蠣のキムチ風あえもの」

牡蠣を、大根、にんじん、きゅうりの細切りとともに、粉唐辛子、魚醤、薄口しょうゆ、砂糖、白いりごま、おろししょうが、おろしにんにく、ごま油を混ぜたたれであえます。

●「加熱」におすすめ「牡蠣のマヨグラタン」

牡蠣の殻を器にします。牡蠣の身を殻にのせ、マヨネーズ、トマトケチャップ、玉ねぎのみじん切りを混ぜてかけ、粉チーズをふってオーブントースターで焼きます。

命と「食べる」を見つめる漁師

宮城県南三陸町・千葉拓さん

漁師の朝は早い。夜明け直前の穏やかな伊里前湾を、千葉拓さんはわかめの養殖場に向けて小船を走らせる。自分を育ててくれたふるさとの海で、拓さんはわかめと牡蠣を育てている。伊里前湾の背後に構えた田束山（たつがねさん）が蓄えた栄養分が、川をつたってリアス式に入り組んだ海に運ばれるため、ここの海産物はよく育つ。また、周辺の森に降り注いだ雨が地下に浸透し、地下海水を海底から押し出す。その栄養塩を含んだ地下海水に突き上げられて育つのも、この海ならではだ。

生き物の人生を食らう

わかめの収穫は重労働だ。海に沈むロープには、隙間なくわかめがぶら下がっている。それを手繰り上げ、根元からカットしていく。2時間も作業していると、船の上はわかめを入れたケースでいっぱいになった。収穫が一段落し、港に戻るついでに、牡蠣棚のチェックに向かった。おもむろに海中に手を突っ込んだ拓さんは、ロープにしがみつく牡蠣を取り外し、手際よく殻を開けると、海水で一度洗い流し、黙って私に差し出した。贅沢にも、私はそれをその場で口の中に放り込む。塩っけがほどよくのり、それはそれはうまかった。

拓さんは、自分の手で食べものを獲ることと、自分の金で食べものを買うことの間には、大きな違いがあると考えている。「食べものを命として見るには、自分でその命を殺さないといけない。牡蠣をむいた瞬間、まだ心臓が動いている。あれを見て初めて、これはモノじゃなくて命なんだとわかる」。海に潜ることもある拓さんは、魚がどんなふうに卵を守っているかを自分の目で見ている。だからこそ、魚を釣り上げ、ドスッと刃物を入れるときには、今でも悲

1 ロープからわかめを切り離す作業をする拓さん。2 田束山で蓄えられた栄養分が流れ込む海で育つ、千葉さんの養殖場のわかめ。3 早朝から養殖場に船を走らせ、わかめの収穫を行う。

しみを感じるという。その魚にも、人間と同じように家族がいたはずだ。あるいは、わかめだって、胞子を出すのは、人間と同じように子孫を残すという目的を持って生きていたからなはずだ。

　他の生き物たちの〝生きる〟を奪うことが、人間にとっての〝食べる〟という行為の本質だと、拓さんは繰り返し説明する。その事実を自分自身で体験し、そして受け入れることで、初めてその生き物に感謝し、本当に「いただきます」という言葉も出てくるのだと。「買って食べるより単純に自分の命が喜ぶし、おいしいっていう気持ちも、栄養になるって気持ちも内から湧いてくる。その生き物の人生を食らうわけだから、その生き物の分まで生きないとって思う。それが生きる力になる」。

1

　自分の命を支えてくれる、生き物に対する感謝の気持ちが芽生えるようになると、自然や人、あらゆるものに感謝できるようになり、そしてすべてに対して優しい気持ちで接することができると、拓さんは語る。

　拓さんのこうした独特の感性を育んだ原点は、彼の住む伊里前湾にある。火を焚いたり、貝を採ったり、煮て食べたりと、遊びの中にも生きることへの学びがあった。焚き火をすることで、どの木が一番長く燃えるのか、最初に焚くと燃えやすい木は何かを知り、また潮がひくと砂浜が見えたことで「満ち引き」を知った。海を自分の中で消化できた場所であり、ふるさとの魅力が一番詰まった場所でもあり、そして体験を通じて自然との付き合い方を教えてくれた先生だった。

震災で解放された人間の精神

　漁師として働き始めた拓さんの元にも、あの津波がやってきた。幸い、家族はみんな逃げて無事だったが、海っぺりにあった自宅と作業小屋は、跡形もなく流された。

「震災みたいに何かあったとき、強いのは〝自然からの学び〟と〝それを共有する仲間たち〟。かつて浜で遊んだ子供の頃の経験が、避難所暮らしで活きた。だからこそやっぱり、

4 仮設住宅前の作業場。水揚げしたわかめから出荷用のメカブに分ける。拓さんのお父さん、お母さんも入る、家族総出の作業。5 わかめの茎から工具でメカブを切り落とす作業。6 獲れたてのシロウオ。このまま熱々のご飯にかけて食べるのもおいしい。

そうした自然の摂理を利用した知恵を学べる場所を、子供たちに残していかないといけないという思いが強くなった」

あの震災直後、拓さんは、現代社会のしがらみや価値観に抑制されて眠っていた、人間の強靭な精神が解放されるのを感じたという。電気も水道もガスもない世界。金は紙切れになった。一方、木は燃料となり、森のわき水は渇きを潤してくれた。この経験が、自然の恵みに感動し、自然に生かされているという謙虚な姿に人間を変えていった。みんなの眼は輝き、生命そのものを燃やしているかのようにすら見えた。しかし一方で、時間の経過と共に、また現代社会の価値観に人々が取り込まれつつあるように見える、とも付け加えた。

もうひとつのふるさとを自分でつくる

そのひとつの象徴が、海と陸を隔てる巨大防潮堤だ。この発想は、人間の力で自然をコントロールしようとしてきた近代的価値観の延長線上にあるものだった。「巨大防潮堤で、海と人を切り離してはいけません」。

巨大防潮堤ができてしまったら、森の恵みが海に十分に届かず、伊里前湾はその価値を失ってしまうかもしれない。川を遡上するシロウオをV字に積み重ねた石の仕掛けでつかまえるといった、この地域の伝統漁法もなくなってしまうかもしれない。そうした事態になることも見越し、拓さんは海と陸を隔てないもうひとつの世界をつくることに決めた。

「防潮堤ができるなら、別の場所で、まずは本当のふるさとの姿を取り戻していきたい。子供たちがふるさとの自然の恵みや豊かな生態系を感じ、知恵を学ぶこともできる。豊かな世界を〝おもいっきり〟取り戻したい」

漁師としてだけではなく、この地域に生きるひとりの人間として、休験を通じて自然との付き合い方を教えてくれたふるさととの復活に人生をかけることを、彼は心に決めている。

(2014年3月号)

6

わかめの食べ方、いろいろ

「わかめ」は、じつは3つの部位からできている

ふだん、わかめと呼んでいるのは「葉体」と呼ばれる葉にあたる部分。そう。じつはわかめには3つの部位があり、それぞれに食感や味わいが違います。

わかめの茎にあたる「中芯」という部位は、私たちが「茎わかめ」と呼んでいる部分。3つ目は、葉状部の中で厚く折り重なってひだ状になっている部位なのですが、ここが「めかぶ」と呼ばれるところなんです。コリコリとした食感が人気です。

産地では旬の春になると、わかめをしゃぶしゃぶでいただくのがおなじみですが、茎わかめとめかぶにも、おいしい食べ方が。歯ざわりのよさや粘りを生かした料理、試してみたくなりますね。

1　めかぶのとろろ丼

めかぶは熱湯でさっとゆで、水にとってさまします。粗めのみじん切りにして、しょうゆやポン酢などであえ、ご飯にのせます。とろろをのせ、イクラをトッピング。まぐろの中落ちや納豆をのせるのもおすすめ。

2 茎わかめとピーマン、はっさくのサラダ

太めの茎わかめは斜め薄切りにし、わかめとともに熱湯でさっとゆでます。細切りにしたピーマンと、ざっとほぐしたはっさくを合わせ、好みのドレッシングや、オリーブオイルと塩などであえます。

3 茎わかめとセロリのきんぴら

細めの茎わかめとセロリは同じくらいの幅の斜め薄切りに。ごま油で水分がなくなるくらいまで炒め、砂糖、酒、しょうゆで調味します。最後に白ごまをふって。

1 20代から60代までの計6人が息を合わせて共に働く「金亀丸」。

時代の荒波を攻める海峡ロデオ

青森県むつ市大畑・佐藤敏美さん

海峡ロデオを名乗る漁師軍団が青森県下北半島にいると聞いたとき、思わずニヤリとしてしまった。津軽海峡の荒波を乗りこなす海峡ロデオとは、想像するだけで愉快ではないか。4月中旬、青森県むつ市大畑町。

魚市場内の漁協の会議室に入ると、丸顔の男がゴツゴツした手で名刺を差し出してきた。「海峡ロデオ大畑」会長の佐藤敏美さん（42）だった。

大音量の吉幾三とねじり鉢巻ぶれないロデオのホスピタリティ

会議室には、漁師仲間や加工業者、地元のお寺の副住職などが顔をそろえていた。みんな「海峡ロデオ大畑」のメンバーだ。この団体は、漁業を通じて大畑地域を盛り上げようと、漁師を中心とした約20人の地元有志によって設立された。出荷体制など具体的なロジスティクスに話題が移ると、佐藤さんは「難しい話は、ばげ（夜）にやるべ」と煙に巻く。夜の宴、佐藤さんは桜鱒を自ら〝ちゃんちゃん焼き〟にして振舞ってくれた。「鮭より柔らかくて、うめべ（おいしいだろ）」。酒がまわると吉幾三の演歌を独唱し、終始上機嫌。NHKのど自慢で合格の鐘を見事鳴らした歌声は伊達ではなかった。

それから半月後の取材本番。たいていの漁師は港に来ると人が変わる。船上では怒号が飛び交うのが常だ。ところが、この日現れた佐藤さんは温厚なまま。それどころか漁場に到

2 海峡ロデオ大畑のみなさん。左から4人目が佐藤さん。3 定置網を引き上げるときは船を止め、大きく揺れる船の上で作業を行う。「さぁ、今日はどんな魚が入ってるがなとワクワクする。子どものような気持ちさ」と、佐藤さんはニヤリと笑う。

着すると、突如大音量で吉幾三の演歌がスピーカーから流れ、ねじり鉢巻姿の佐藤さんが甲板に降りてきた。佐藤さんなりの粋な演出。人を楽しませるのが好きでたまらないのだ。

暗黒時代を乗り越えた港のゴッドファーザー

この日、佐藤さんが陣頭指揮を振るう第六十八金亀丸では5人の乗組員が汗を流していた。船上には冗談が飛び交い、笑いが絶えない。「チームワークよぐねと、わい(俺)の気持ちも乗らねぇ。そんなところの網には魚も入りたぐねぇべ」。金亀丸では年に4回は乗組員全員で飲み会をやり、新年会には家族や関係者も合わせ約50人が参加するという。この大家族を取りまとめるゴッドファーザーが佐藤さんなのだ。

漁業を営む佐藤家の三代目長男坊として生まれた佐藤さんは、今日まで脇目も振らずに漁師の道を突き進んできた。イカ漁で全国各地の港を回り、たまにお土産にファミコンを買ってくる父親の生き様に憧れた。八戸の水産高校で寮生活をしていたとき、父は定置網用の漁船を新造船。さらに息子の高校卒業を機に、FRP(繊維強化プラスチック)製の中古船を購入した。ところが一緒に漁を始めて2年後、父は突然亡くなってしまう。喪失感は大きかったが、気を取り直して漁に打ち込んだ。イカの水揚げ高がようやく安定してきた27歳のとき、今度は海難事故に見舞われ、船が使い物にならなくなった。うなだれているわけにいかないと、佐藤さんは中古船を借金で購入。不屈の精神で再起を図り、8年後に借金を完済した。定置網一本に絞ると決めて漁船を新造船、金亀丸を安定軌道に乗せていく。どん底からはい上がったが、「ただ獲って儲ける繰り返しじゃつまんねぇ」と感じるようになっていった。そこで、仲間と魚市場にテントを張って格安で鮮魚を売り、人気を博した。昨年は地元を飛び出し、青森市内のスーパーで販売

海峡ロデオ
大畑
UNIC
AM2-7108
第十八
金

4 出航する午前5時半の朝焼け。この日獲れたのは桜鱒の他、カレイ、アンコウなど。様々な魚が一気に入り、時にはチョウザメなどの大物も。5 桜鱒は身が柔らかく高価なため、すぐに氷水で〆る。港に上げるときは、緑がかった身がピーンと伸びている。

を開始。次は東京でも、と陸での漁場拡大を画策している。

今日も明日も、構想は膨らむ
目指すはサーモンの町

佐藤さんの目には、疲弊していくふるさとの姿が映っていた。マグロをブランド化した隣町の大間を目指した観光客が、ことごとく大畑を素通りするのを「おもしぇぐね」と、歯ぎしりしていた。今のままだと町がダメになる。大間のマグロに匹敵するブランドをつくらなければならない。目をつけたのが、サーモンだ。大畑では、桜鱒、秋鮭、時鮭、キングサーモンが定置網で獲れ、海峡サーモンも養殖している。サケ・マス類の魚が5つもあるのだから、サーモンの町で売れればいい。それが町おこしになるはずだと佐藤さんは考える。佐藤さんにはもうひとつ温め続けていた秘策があった。漁師そのものをブランド化する構想、それが海峡ロデオ大畑だ。自分たちにできることは船を動かし、魚を獲ることだけ。ならば、漁師の1日そのものをお客さんに体験してもらい、大畑の漁業のファンになってもらえばいい。

佐藤さんは、同級生の市役所職員、寺の副住職に構想を披露。共感したふたりが町の人に声をかけ、一気に〝関係者〟が増えていった。ツアー内容をみんなで考え、その場で団体名を「海峡ロデオ大畑」に決めた。

サーモンの町構想、海峡ロデオ構想、矢継ぎ早に繰り出される取り組みに勝機はあるのか。佐藤さんは「10年後までの絵が、わいの頭の中に入ってる」と自信満々だ。海峡ロデオ大畑のメンバーには、一度地元を出て見聞を広げ、帰ってきた人も少なくない。新しい視点があるからこそ、いろいろなことを実行できる。

「あいつらがんばってるな。自分も大畑に帰って何かやらないとな」と思わせたい。ふるさとに帰った人は、すぐに佐藤さんの頭の中にある構想に組み入れられ、出番と役割を与えられるに違いない。(2018年5月号)

ぜいたくな「ちゃんちゃん焼き」

身はふっくら、皮までおいしい

桜の咲くころにとれることから、この美しい名前がついたともいわれる桜鱒。見た目は鮭に似ていますが、火を通しても身がふんわりとし、甘みと強いうまみがあるのが特徴です。皮が薄く、バリバリとした食感が楽しめるのも、おいしさのひとつ。刺し身で身の味わいを堪能したら、皮ごと食べられるちゃんちゃん焼きにしてみるのもおすすめです。

桜鱒の切り身は皮目を下にして焼きます。まわりでキャベツ、玉ねぎ、にんじん、じゃがいも、かぼちゃを炒め、蒸し焼きに。みそ、酒、みりん、砂糖、にんにくのすりおろしを混ぜたみそだれをかけてバターをのせ、桜鱒をほぐして野菜とともにいただきます。好みでレモンを絞って。

未来に掲げる大漁旗

山形県鶴岡市鼠ヶ関（ねずがせき）・五十嵐安貴さん

奥羽三大古関のひとつとして知られる山形県の鼠ヶ関。大化の改新以降、この奥羽三大古関以北の陸奥・出羽には、先住民族の蝦夷が暮らしていた。政治的に中央に対して服従しない〝まつろわぬ民〟は、大和朝廷から恐れられた。現在の鼠ヶ関には関所跡が今も残り、観光名所となっている。

江戸時代には北前船が寄港していた鼠ヶ関港。ここでは、若い漁師たちがたくさん働いている。まるで、一次産業の担い手減少という時代の流れにあらがうかのようですらある。どの港でも若い漁師が軒並み減っている中、鼠ヶ関ではこの10年間、逆に若手が増えているのだ。鼠ヶ関漁業青年会の会員数は現在28名で、内訳は、20代が8名、30代が13名、40代前半が7名。山形県内の港では船数も最多。かつて合併前の町長は、「うちは若い漁師が一番多い」と誇らし気に語っていたという。青年会前会長の五十嵐安貴さん(43)は、漁師歴25年の中堅で、若手から慕われる存在だ。

1 新潟県最北端の村上市と接する鼠ヶ関。港町であると同時に山の麓でもある。

早朝の海で繰り広げられる見えない相手との知恵比べ

朝夜にまだ暖房が欠かせない4月初旬、五十嵐さんが船主として舵を握る第五平安丸は若い乗組員を乗せ、深夜2時に港を出た。約2時間かけ、沖合い33km地点を目指す。狙う獲物は、紅えびだ。一般に甘えびの名で

2 常に無線の声が鳴り響く船上。最初の漁場に到着し、五十嵐さんが合図のブザー音を鳴らすと、仮眠をとっていた乗組員たちが飛び起き、漁の準備にせわしなくとりかかり始める。この日は片道4時間かけて飛島へ向かったが、時期により漁場を変える。

知られるこのえびは、獲れたては鮮明な赤色で、紅を塗った女性の唇のように見えることから、庄内地方では昔から「紅えび」と呼ばれている。鼠ケ関漁業協同組合では、この紅えびの名前でブランド化をはかり、首都圏に売り込んできた。

五十嵐さんたちの漁法は、底引き網漁だ。紅えびの場合、海底まで降ろした袋状の大きな網を1900mの長いロープでおよそ2時間かけて引きずる。それから、45分間かけて巻き上げ機でロープを巻き取っていく。獲物をズシリと抱え込んだ網が、海水を滴らせながらクレーンで引き上げられ、船上の水槽に一気に落とされた。この日は風が強く凪も悪かったため、いつもの半分の水揚げに留まったが、それでも水槽は紅えびの色で染まった。

父親が蓄積してきたデータ、五十嵐さんがこれまで積み重ねてきた経験、前日の他の船の水揚げ高、そして魚群探知機が示す情報などを総合的に見定めながら、最終的には「このあたりにいるはずだ」という〝勘〟で漁場を決め、海底に潜む見えない相手に向かって仕掛けを投げ入れる。

この日の漁場の水深は280mだが、紅えびは移動するので、漁場の海底の水深や地形、潮の流れ、風向き、波の高さを見ながら、仕掛けの場所、タイミング、スピード、やり方を臨機応変に変えなければならない。上下8mの揺れの中で、五十嵐さんと乗組員はバランスを崩すこともなく作業をこなしていく。大量の紅えびを手作業で手際よく選別し、氷を入れた発泡スチロール箱に詰め、「沖詰」と表記されたシールを貼る。港に戻るとそのまま配送し、抜群の鮮度で付加価値を上げている。移動、選別、投網、巻き上げ、水揚げまでが一回の漁のサイクルで、4時間かかる。これを通常は3回繰り返し、帰港する。港に戻ったのは夕方6時前。実に出港から16時間経過していた。翌朝2時、また五十嵐さんたちは港を出ていく。休漁日の火曜、土曜と海が荒れた日以外は、これを毎日繰り返している。年間、だいたい100日間、沖で操業している。

金塊よりも温泉よりも、大漁旗 24年続く漁師町のフェス

五十嵐さんは漁師としては4代目、家主として14代目だ。漁師になって2年目のとき、鼠ケ関大漁旗フェスティバルが始まった。竹下登政権が

DESIGN

3 どの乗組員も、黙々と自分の持ち場で作業をこなす。仕掛けの合間には、紅えびを選別する作業が。船に搭載された衛生管理システムを用いて「沖詰」された紅えびは、新鮮なまま競りにかけられる。

地域振興の目玉として各市町村に1億円をばらまいた「ふるさと創生事業」がきっかけだ。あちこちの自治体が金塊を購入したり、温泉を掘ったり、ハコモノづくりなどのハードにお金を使おうとしているときに、町長から打診された鼠ケ関の漁師たちはソフト事業に活用しようとした。目をつけたのが、大漁旗だった。「船にとってはお祝いで使う大漁旗を埋もれさせるんじゃなくて、もっと盛大に見せたい。若いもんもいるし、全国から大漁旗集めて、ここで魚を売ろうということになった」。青年会は、父親たちが所属する船主会や漁協の協力も得て、全国の漁協に依頼文を送り、色とりどりの大漁旗をかき集めた。届いた大漁旗は、3000枚を超えた。意気盛んな青年会は、軽トラックに大漁旗を掲げ、列をなして鶴岡市内まで走った。10年間で補助金は打ち切られたが、盛大にやっていたために今さらやめるというわけにもいかなくなった。

漁師たちは気前がいいからフェスティバルは儲からない。漁を休んで開催するから、経済的損得を考えたら続けられない。しかし、若い漁師たちが「自分たちで楽しいことを企画し、やりきろう」と始めた祭を見守る船主たちの理解もあり、24年間続いてきた。今では、1日で8000人を集める大きなイベントに育っている。来場した一般客を漁船に乗せるクルージングも大人気だ。こうして若手がのびのびと活躍できる環境があることも、後継者が多く残る要因となっているようだ。ときに、歳下が目上の人を茶化すおおらかさも

4 水揚げした紅えびは、すぐに氷入りの生け簀へ移される。温度が少しでも上がると変色するため、徹底した温度管理が欠かせない。5 船室内の小さな調理場。炊きたての白飯とえびや魚の味噌汁が、献立の定番の組み合わせ。6 フェスティバルの漁船クルージングには、早朝から親子連れが長蛇の列を作る。

この港にはある。五十嵐さんも、若い漁師たちからよく「おいっ、ハゲっ!」といじられている。2年に1回、青年会と船主会のメンバーでバスを2台貸し切り、2泊3日の旅行に出かける。風通しがよいのだ。

都会に負けない地元の宝
そのおいしさを子どもたちに

後継者はたくさんいるが、それでも先行きは明るいとはいえない。鼠ケ関では一年を通じて紅えび漁をしているが、7月、8月は休漁期間になる。以前はスルメイカをやっていたが、県外船はロボットを搭載するなど技術革新が進み、勝負にならなくなった。さらに、稼ぎ頭の紅えびも減っている。「温暖化の影響で水温が変わり、これまで蓄積してきたデータが使えなくなってきた」と、五十嵐さんは表情を曇らせる。そして最も危惧しているのが、子どもたちの魚離れだ。「今の時代は、日本で獲った魚を中国に輸出して、向こうの安い労働力で魚を開き、ピンセットで骨をとり、食用接着剤で開いた魚をくっつけて輸入している。子どもたちが頭からかぶりついているのはそんな魚。なんでこんなことしないといけないのか」と、語気を強める。

現在、五十嵐さんたちは、地元の小学校5年生を対象に、食育の課外授業をしている。漁を見学してもらい、魚を選別させ、包丁でさばかせ、味噌汁にして食べさせる。そうすると、普段は魚を食べない子どももみんな「おいしい」と言って喜ぶそうだ。学校給食でも地元の食材を使うようになってきた。フェスティバルのポスターは、この5年生たちに船を描いてもらい、その中から選んでいる。「小さいときにおいしいもの食べた人間っていうのは、いったん町を出たとしても、絶対に戻ってくるのよ」。都会のどの店で食べる魚より、鼠ケ関で食べる魚の方がうまい。そんな絶対的な自信を持っている五十嵐さんは、ふるさとの味こそが若者を地元に引き留める〝錨〟になると信じている。(2015年5月号)

6

紅えびたっぷりブイヤベース風

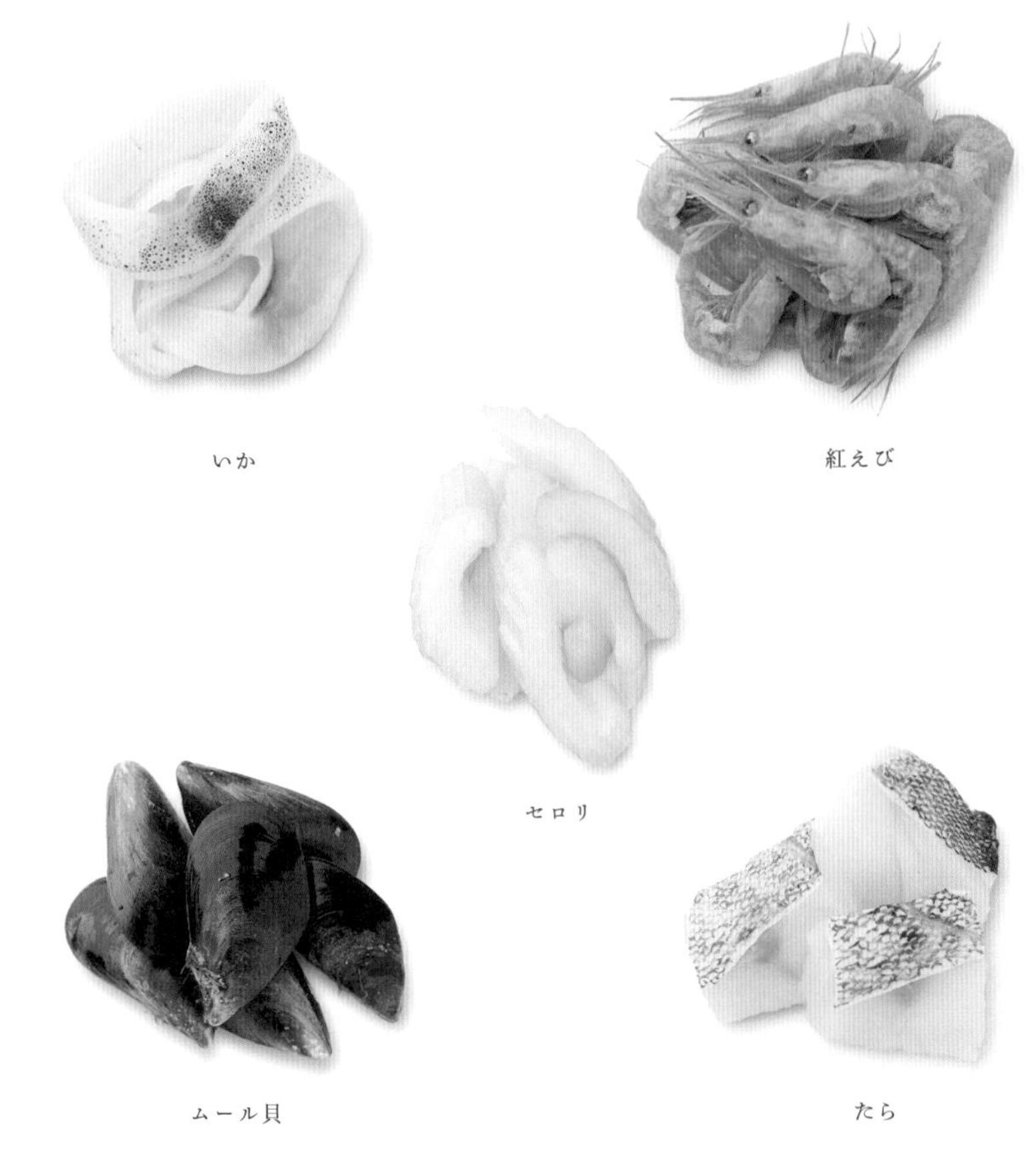

いか

紅えび

セロリ

ムール貝

たら

海の幸と山の幸を合わせ、うまみの相乗効果で仕上げる

漁師さんたちが船上で作る「えび汁」のように、紅えびをまるごと味わえるのが、このスープです。紅えびから出るだしをベースに、魚介や野菜から出るうまみも加わり、えもいわれぬおいしさに。多めに作って残りを一晩ねかせ、パエリアやリゾット、カレーにアレンジするのもおすすめです。

オリーブオイルでにんにくの薄切りを炒め、ムール貝と、いか、じゃがいも、にんじん、セロリ、ローリエを炒め合わせます。白ワインとトマトの水煮を加えて蒸し煮にし、紅えび、たらを加え、かぶるくらいの水を加えて煮立てます。アクを取って弱火で煮たら、サフランを入れた湯を加えてひと煮立ちさせ、塩、こしょうで味をととのえます。仕上げにパセリを散らせば、でき上がり。

ハタハタを巡る「二十年戦争」

秋田県男鹿市船川港椿のみなさん

冬型の気圧配置が強まる11月下旬、秋田県の男鹿半島はみぞれまじりの寒風が吹き荒れ、雷が鳴り響く。その雷の音を号砲に、深海から大挙してやってくる魚たちがいる。ハタハタ、別名カミナリウオだ。漢字では、魚偏に神、または魚偏に雷と書く。ハタハタを長年、研究してきた秋田県立大学生物資源科学部の杉山秀樹客員教授は言う。「冬に食べものがなくなると、向こうからやってくる。昔の人たちは、神の魚と感謝した。秋田には、ハタハタを奉る石碑や慰霊碑があちこちにあるが、あれは江戸時代からのものだ」。

食文化を支えた大衆魚の危機 漁師たちは自ら決断を下す

日本海に突き出る男鹿半島はハタハタの産卵場。時期になると、周辺のハタハタは卵をたくさん抱えている。厳冬期のタンパク源として庶民に親しまれ、昭和40年代まで大量に水揚げされていた。ハタハタずしやしょっつるなど多くの保存食を生み出し、豊かな食文化を育んだ。この大衆魚がやがて絶滅の危機に瀕するとは、当時、誰も予想できなかっただろう。

１９６３年から75年までは、連続して１万トン以上の豊漁。ところが80年になると急減し、91年にはついに71トンにまで激減した。地球規模でのレジームシフトが影響を与えたと指摘する声がある一方で、漁師たちの乱獲が問題視されることになった。

60年代には１kg20円だったハタハタの単価は、漁獲高が減るごとに１００円、５００円とあがっていった。単価が高くなると儲かるからたくさん獲る。たくさん獲ると漁獲高が減る。「完全に負のスパイラルに陥っていた」と、杉山さんは振り返る。

１９９２年９月１日、秋田県漁業協

1 天龍丸の若き船頭・佐藤大介さん。2 荷下ろし後、フォークリフトに載せられ市場へ。3 水揚げしたハタハタは、船上で大中小に選別される。

同組合は3年間の全面禁漁に踏み切った。違反者には、10万円の罰金、10日間の休漁、漁獲物・漁具の没収という厳しい内容だった。

〝死〟を意味する禁漁 その裏には壮絶な戦いがあった

漁師にとって、禁漁は死ねといわれるに等しい。世界では国が法律で禁漁を断行するケースはあるが、漁師自らが決断することは異例だ。なぜそれが可能になったのか。杉山さんは当時、3年間禁漁にすれば2・1倍にハタハタの資源量が回復するというシミュレーション結果を材料に、各地域の漁協組合長を説得して回った。「やるなら今。手を打つのが遅ければ遅いほど、資源回復には時間がかかる」と訴えた。ハタハタは漁業者だけのものではないという県民の支持もあった。秋田県民にとって、ハタハタは切っても切れない食文化。絶滅は食文化の消滅を意味した。

全面禁漁の決断に至るまでの裏には、壮絶な戦いもあった。男鹿市漁業協同組合の組合長を務めていた佐々木喜久治さん(88)は、各漁協から、漁師を殺す気かと猛反発を受けた。脅しの電話がかかり、会議に出かけるときは警護がついた。佐々木さんはそれでもひるまなかった。全面禁漁を認めてもらう代わり、15年続けた組合長の座を自ら降りた。

禁漁期間中の3年間、解禁後のハタハタの資源管理計画づくりが行われた。各部会長代表、漁協長、県行政、県研究機関など35名からなるハタハタ資源対策協議会が設置され、海中にいるハタハタの資源量の半分だけ人間が利用し、残りの半分には手をつけずに再生産のため産卵させることが決まる。他にも、休漁日の追加、夜間操業の禁止、操業隻数削減、漁具の制限などが定められた。こうした一連の資源管理の取り組みが一定の成果を生み、2004年には漁獲高が3000トンを超えるまでに回復した。しかし、ここ数年、漁獲高は減少傾向にある。単価も禁漁明けに3000円ついたのが、200円にまで落ち込んでいる。秋田産

1

4 2005年、男鹿市北浦漁港にて撮影。水揚げされたハタハタが多過ぎてすぐに選別できないため、雪を入れて鮮度を保持している状態。漁獲量の減った今はこのような光景には出会えないという。（写真：菅原徳蔵）5 早朝の男鹿の海。

ハタハタの値段が高ければ、それより安い山形産や新潟産をスーパーで容易に買い求めることができるようになった。

ハタハタは10年後も残るのか 問われているのは消費者

男鹿市は元々、漁師の高齢化が進んでいた。禁漁を機に漁師を辞める人が続出し、地域の衰退に拍車をかけたという厳しい見方もある。そんな中、建設会社の三和興業は、定置網漁や底引き網漁を手がける漁業会社「台島大謀」を子会社として設立し、地元の若者たちを漁師として雇用してきた。男鹿の海洋高校を卒業し、同社に就職した佐藤大介さん(29)は、漁師になって11年目。同級生100人のうち、漁師になったのは佐藤さん含めふたりだけだ。数年前から船上で、水揚げしたハタハタのオスとメスの選別を手作業でやるようになった。さらに今年からハタハタの大きさに応じ、大中小に仕分けて箱詰めする作業も始めた。手間がかかって大変な仕事だが、近年の消費者は卵の入ったメスを欲しがり、大きさにもこだわる。ニーズに対応していかないと食っていけなくなるのでやるしかない。取材に訪れた日、ぜんぶで200箱の水揚げがあった。佐藤さんは「走りにしては上々だ。これからが本番」と口元をゆるめた。

5

秋田県立大の杉山さんは年々、要求が高まる消費者に厳しい目を向ける。「昔の人たちのハタハタへの感謝や3年間の禁漁を、消費者は忘れてしまった。安ければいいという奇妙なことになっている。卵を持ったメスばかり値段がつき、オスは二束三文だ。これは間違いだと思う。消費者は王様ではない」。現在、秋田県には2200人の医師がいるのに対し、漁師は減少し続け、1200人しかいなくなった。その多くが高齢者である。ハタハタは10年後も果たして残っているだろうか。その未来は、消費者の意識変革にかかっている。

（2014年11月号）

ブリコハタハタのしょっつる鍋

秋田を代表する、
冬ならではの郷土の味

産卵のために沿岸に押し寄せる「季節ハタハタ」の群れを定置網でとる漁法は、秋田ならではのもの。産卵を終えると一気に深海に帰るため、漁期はわずか2週間程度です。季節ハタハタのメスのおなかには、はちきれんばかりの卵（ブリコ）が。そんなブリコハタハタを、秋田の魚醤・しょっつるを使った鍋で楽しむのが、冬のぜいたくです。

鍋に昆布と水を入れて30分ほどおき、だしをとります。食べやすく切った白菜、しいたけ、まいたけ、豆腐、ねぎ、ごぼうのささがきを入れ、えらと内臓を取ったハタハタ（メス）をのせて火にかけます。アクを取ってしょっつるを加え、食べやすく切ったせりを入れたら、でき上がり。

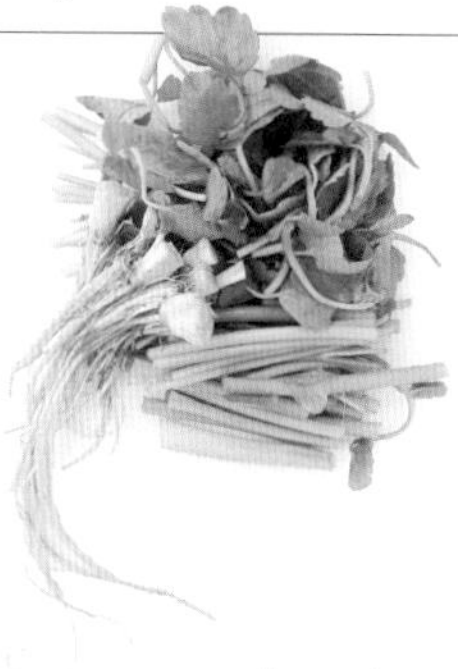

しょっつる

せり（根つき）

ハタハタ（メス）

しいたけ

まいたけ

十三湖千夜一夜

青森県五所川原市十三湖・工藤伍郎さん

青森県津軽半島北西部に位置する十三湖。南部に望む白神山地を源流とする岩木川の淡水と日本海の海水が入り混じる汽水湖で、周囲は約30kmに及ぶ。水深も浅い汽水湖は、シジミにうってつけの生息環境とされる。貯留した栄養物質と太陽エネルギーを利用して繁殖する植物プランクトンが、シジミの豊富な餌となるからだ。そんなわけで、十三湖は日本有数のシジミ産地となっている。

東の大勢力

縄文時代、東日本には日本全体の人口の95%が暮らしていた。人々を食べさせるだけの豊かな自然があったのだ。その象徴的な場所のひとつが十三湖だった。弥生時代に稲作が日本で始まってもそれに頼らず、山の幸、海の幸に恵まれた狩猟採集で十分に食べていくことができ、海運を利用した交易でも大いに賑わった。

中世、ここには「十三湊（とさみなと）」の名で知られた交易港があり、津軽地方の有力豪族だった安藤氏の拠点として栄えた。近年の発掘調査で本格的な都市計画に基づく中世都市だったことが明らかになっている。

1 南のかなたにそびえる岩木山に見守られるようにして、シジミを採る漁師たち。

厳しい漁獲制限

7月上旬のある朝、湖面にはおよそ120艘の小型船が錨を下ろして浮かんでいた。風が強く、さざ波が立つ。7時ぴったりに漁師たちは一

2 湖に腰まで浸かったままシジミの選別をする工藤組合長。金網にシジミを入れ、水に浸しながら揺すって砂利などの雑物を振るい落とす。

斉に船から飛び降りた。腰まで水に浸かり、漁師たちは爪のついた鉄カゴに竿を付けた「ジョレン」という漁具を引っ張りながら、少しずつ後ずさりしていく。この水域の稚貝資源を守るために、カゴの目合いは5分(約14mm)以上と統一されている。砂に埋まるシジミの居場所を足裏の感覚で確認しながらジョレンを引っ張り、カゴの中に砂泥もろともシジミを入れていく漁師たち。ある程度シジミがたまると、水中でジョレンを揺らして砂泥を流し、水面に浮かべたプラスチックの大きなカゴの中にシジミだけを落としていく。

この日、漁が行われた漁場は、岩木川休漁区。船にジョレンをつけて引っ張る一般操業は、指定された一般漁場で4月から10月にかけて行われる。ただし7月から8月はシジミの産卵期のため、一般漁場は休漁となり、代わりに休漁区で15日間程度、こうして人力による漁が行われる。期間中は小貝を除く、中貝、大貝を約40kgまでと採取数量が厳格に制限されている。一般操業についても、採取数量は規定の木箱2つ、約140kgまでと制限されている。

ふたつの金網箱を重ね合わせ、その上段に小さな手鍋ですくい上げたシジミを入れる。両手で金網箱を前後左右に揺さぶると、小さなシジミは下段に落ちていく。上段の17・4mmの目合いの金網にとまったものを大貝、下段の15mmにとまったものを中貝、下段から落ちたものを小貝と選別。すぐさま大貝と中貝は袋詰めしてラベルを貼り、小貝は湖に放流する。40kgきっかり、シジミの水揚げが終わった船から港に戻っていく。

十三漁協では、1日あたりの漁獲量制限、シジミ漁経営体数の制限(105経営体)、漁期の規制、禁漁区・休漁区の設定など、厳しい漁獲制限を行っている。その元締めである十三漁業協同組合の工藤伍郎組合長(71)は、自らも腰曳きでの漁に参加しながら「やさしい漁法だろう」と自信たっぷりに語った。一方で「漁獲制限をやる組合長は憎まれ役だ。漁師たちはみんないっぱい採り

3 十三湖西岸の作業小屋では、畜養場で採取したシジミを運び込んで洗浄や選別を行っている。4 目合いの異なる金網箱を2段重ね、シジミをのせて揺すって選別。小サイズのシジミは湖に戻す。

たいから」とも。しんどい役回りだが、53歳でトップに就任して以来、強力なリーダーシップを発揮し、18年間漁場を守り続けている。

価値の維持

工藤組合長は言う。「湖の中を歩いても痛いくらいシジミがたくさんあったが、値段が安かったからシジミじゃ飯が食えなかった」。ところが、高度経済成長がシジミの値段を押し上げていく。環境変化に弱いシジミは、干拓や河口堰の建設などによって日本中から姿を消しつつあったのだ。シジミの資源量減少に反比例し、その価格は上昇し続けた。昭和40年代に全国で5万トン前後あった漁獲量は平成20年には約１万トンに激減したが、価格は１kg当たり約10円から、約６８０円まで上がった。

4

さらに、十三漁協のシジミの付加価値を上げるための果敢な取り組みも結実し、十三湖産シジミは中央卸売市場でも高値をつけるブランドとなった。平成13年、十三漁協はそれまで漁師と地元の仲買業者との相対取引、自主取引に任せていた出荷を、漁協が取りまとめる共販体制（一元出荷体制）へと切り替えた。

それまで各漁師の個人レベルでしか伝えられてこなかったシジミの価値を、漁協が積極的にまとめて情報発信し、熱心に営業もかけることで、十三湖産シジミの市場価値は格段に高まっていった。結果、それまで販売していなかった冬場でも高値で取引されるようになった。元々、4月から10月に行われる一般操業で採取したシジミを蓄養区域に移植し、育てていたこともあり、通年でシジミを販売できるようになった。

十三湖でシジミ漁を営む経営体は現在１０５世帯。「ここさえ残しておけば死なねんだよ」。工藤組合長の言葉に、奥津軽の歴史を改めて思わずにはいられなかった。かつて、大和朝廷は北の蝦夷を「まつろわぬ民（服従しない民）」と恐れた。まつろわぬ民の拠点として栄えた十三湊の繁栄の面影はもはやないが、その魂はここに脈々と受け継がれている。

（２０１６年7月号）

シジミのバターしょうゆご飯

だしを味わい、
身の滋味を味わう

地元で好まれるシジミのバター炒めの食べ方を応用して、だしのうまみも身もまるごと味わえるバターしょうゆご飯に。しょうがのせん切りをたっぷり混ぜ込んで、さっぱりといただきます。子どもも喜ぶ甘めの味つけにすれば、家族みんなで楽しめます。

米は洗って浸水させておきます。シジミは殻つきのままバターで炒め、½量くらい口が開いたらしょうがのせん切りを加えます。酒、砂糖、しょうゆを加えて煮つめ、米の水から少量を加えて、シジミのうまみを煮出します。煮汁を米に加えて混ぜ、シジミをのせて炊き上げます。仕上げにしょうがのせん切りと万能ねぎの小口切りを散らして。

シジミ

米

万能ねぎ

バター

しょうが

しょうゆ

じゅんさい沼の太郎次郎

秋田県三種町森岳・安藤賢相さん、近藤大樹さん

1 じゅんさい太郎こと安藤賢相さん(右)と、じゅんさい次郎こと近藤大樹さん(左)。じゅんさいユニフォームはふたりのオリジナル。

透明な寒天質に覆われたじゅんさいの緑色の葉っぱが沼一面に浮かぶ。じゅんさいの歴史は古い。古事記や万葉集の歌謡の中で「ぬなわ」と呼ばれていた。平安時代には吸い物の具や、漬け菜にもなっていた。芽が食用とされた他、茎や葉、果実は解毒、解熱効果があるとされ、さらには胃弱を治し、腫れを消すなど薬用としても重宝された。秋田では戦前、塩漬けにして、冬場に保存食として食されていたという。

白神山地のきれいな水が流れ込み、良質なじゅんさいが池や沼、灌漑用溜池に自生することで知られていた秋田県三種町では、高度経済成長期に入ると、水質汚濁による自然環境の変化によって、天然のじゅんさいは減っていった。昭和45年に始まった国の減反政策を機に、町は転作作物としてじゅんさいを奨励し、あちこちの田んぼがじゅんさい沼へと姿を変えていった。そのひとつが、ここ安藤食品のじゅんさい沼だ。

人力で水草をとる

じゅんさいの収穫が最盛期を迎える6月初旬、安藤食品3代目の安藤賢相(けんすけ)さん(35)は、じゅんさいの成長を妨げる水草とりに汗を流していた。米づくりと異なり、沼の中で行うじゅんさいの栽培は農業機械が使えず、除草や収穫などの作業はすべて人力頼み。特に水草とりはたったひとりで沼に入って行う孤独で長丁場の作

2 茎から新芽、丸い花芽、葉柄まで透明の膜でぷるんと覆われた不思議植物、じゅんさい。3 じゅんさいはひとつひとつ手摘みする。「採り子」さんたちの中には、親指の先に金属製の爪をはめて切りとる人も。4 水草とりをする賢相さん。

業だ。長いときで1日8時間も水草とりをしている賢相さんは肌が弱いので、太陽光と水面からの反射光による日焼け防止のために、スキー用のフェイスマスクを着用している。

収穫期は、5月中旬から9月上旬頃まで。この間、水草とりはひたすら続く。収穫は「採り子」と呼ばれる地元の女性たちが、長さ2m、幅1mの木製箱舟にひとりずつ乗り込み、水面ギリギリまで前屈みしながら素手で摘みとる。出来高払いなので、みな黙々と摘みとり作業に没頭している。

安藤食品には、10人前後の採り子がいる。50代から70代が中心だ。毎日通う人もいれば、自分の田んぼの農作業の合間に来る人もいる。多い人だと、1日で25kgも収穫する。「うちの採り子さんの場合、一番とる人は70代の方です」と、賢相さん。

水草とりはやればやるほどじゅんさいの生育が良くなり、採り子たちも収穫しやすくなる。他の作業が立て込むと沼に入れない日もあるが、数時間でもみっちり沼に入ると心が救われるという。「こればかりは不思議です。沼を守るというような勝手な使命感を感じているような気がします」。安藤食品は点在する5つのじゅんさい沼を持っている。夕方、水草とりが終わると、賢相さんはその足で各沼を回り、採り子たちが収穫したじゅんさいを回収して会社に戻り、計量する。

2

敏腕広報マン

昨今はキロ単価500円前後に低迷しているじゅんさいだが、安藤食品は現在、インターネットでキロ単価2500円で販売している。じゅんさいの価値をここまで引き上げた立役者は、賢相さんの中学時代の同級生で安藤食品の広報を担当する近藤大樹（ひろき）さん(35)だ。一眼レフカメラとドローンを駆使し、消費者から見えない生産現場の魅力をホームページやSNSで精力的に発信している。大樹さんの軽ワゴン車の荷台には撮影機材がぎっしりと詰め込まれていた。

3 | 4

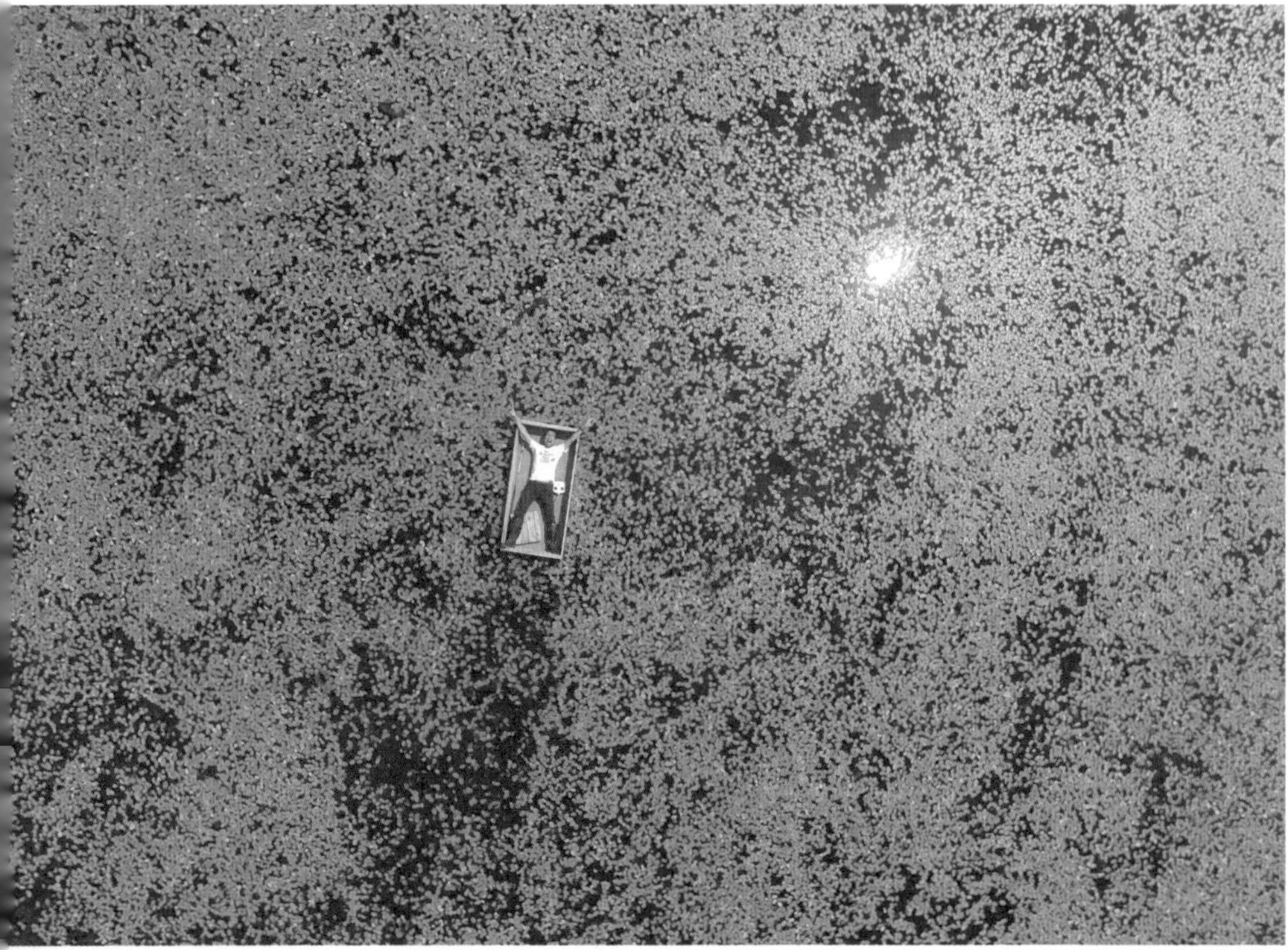

5 | 6

5 じゅんさい舟の大きさは寝そべるとぴったり収まるくらい。（写真：近藤大樹）6 黙々とじゅんさいを摘む、採り子さんの舟。水面の浮き葉をよけながら、腰をかがめて水中に手を差し入れ、手探りで摘みとる。7 摘みとったじゅんさいを手作業で選別。1～1.5cmの若芽のみ、ひとつひとつカットする。

大樹さんは最初は出荷作業を任せられたが、インターネット販売のための会社のホームページをつくるため、そのまま社員になった。

太郎と次郎がゆく

アイデアマンの大樹さんは、自分と賢相さんを「じゅんさいブラザーズ」と名乗るブランディング戦略を展開。賢相さんを「太郎」、自分を「次郎」と名付けた。太郎は役者で、次郎は演出家という役割分担をし、賢相さんに銀ラメのヘルメットをかぶらせて稲刈りするところを撮影するなど、顔出しで捨て身の情報発信をした。あるとき、癌を患っているという客から電話がかかってきた。「当時、じゅんさいは癌に効くという噂が立っていた。それで、安藤食品のホームページからじゅんさいを買ったらしい。俺たちふたりが楽しそうに働いているのがうれしかったようで」と、大樹さんははにかむ。

商品の裏側を丸見えにすることで、ただのじゅんさいは、太郎と次郎のじゅんさいという付加価値がついて、値が上がった。「スーパーや小売にパッといっせいに流していたときは、商品は出ていくけれど、入ってくるのはクレームだけだった。悲しい。バイヤーからの発注依頼も、ファックス1枚ですべてが終わってしまう。寂しい。個人売りは、喜びの声が届くのでやりがいがある」。

いつの日か、障がい者やニートを会社で受け入れ、その人の適性に合った役割を任せられるような、農業と福祉の連携に挑戦してみたい気持ちがぼんやり芽生えている。しかし、会社の経営状況はまだまだ苦しい。「まずは自分の目の届く範囲を幸せにしたいと思う」。そう語る賢相さんだが、一人ひとりの思いに丁寧に寄り添うことと利益を上げることはときに相反する。

どこまでも無欲で堅実な賢相さんを、相方はどう演出していくのだろうか。太郎と次郎の旅は始まったばかりだ。

（２０１６年６月号）

じゅんさい稲庭うどん

トマト・きゅうり・みょうが・バジル

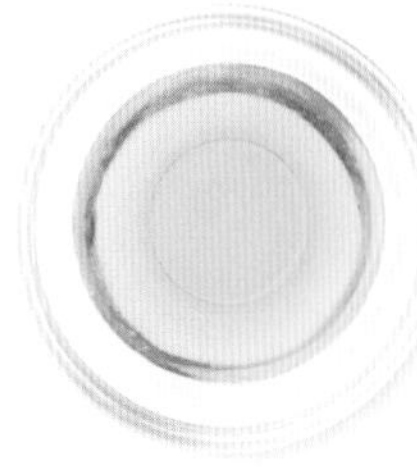

ごま油

オリーブオイル

3種の変わりだれで食べる夏のひんやり麺

旬の夏には、生のじゅんさいをさっとゆで、麺と合わせて食べるのが地元ならではのお楽しみ。目先の変わったたれを3つ、ご紹介します。ゆでて冷水で冷やした稲庭うどんにじゅんさいをのせ、たれを添えて。

●バルサミコ&トマトだれ
めんつゆにバルサミコ酢を混ぜ、トマトの角切りとバジルのせん切り、オリーブオイルを加えながらいただきます。

●豆乳&きゅうりだれ
豆乳に塩を混ぜ、きゅうりの細切り、ごま油を加えながらいただきます。

●トマト&みょうがだれ
トマトジュースとだし汁、薄口しょうゆ、塩を混ぜ、みょうがの小口切り、オリーブオイルを加えながらいただきます。

東北食材をこうして食べる！

第4章　ともに生きる

1 山から牛追い。「こー、こー」と呼びかける。深い雪の中も牛はしっかりとした足取りで歩く。

中洞生きもの学校

岩手県岩泉町上有芸・中洞正(なかほら)さん

中洞牧場はスケールが大きい。野球場のグラウンド80個分に相当する80ヘクタールの山林に約80頭の乳牛を放し飼いしている。厳しい冬も例外ではない。標高700~850メートルの北上山地はときに零下20℃を下回ることもあるが、牛たちは昼夜問わず、たくましく暮らしている。

牛が山林を開墾？

早朝4時過ぎ、中洞さんはトレードマークの黄色いジープに乗って動き出した。「日が昇ったら起きて、日が沈んだら寝る。昔の人はみんなそうやって生きていた。だから電気もいらなかっただろ」。ジープで向かった先は荒れ果てた山林だった。50ヘクタールの山林を新たに開墾して整備し、ここでも牛を育てるという。

50ヘクタールの山林を開墾する。こんな途方もない面積の荒れ果てた山林を誰が開墾するのか。業者に頼んだら莫大な費用がかかるだろう。中洞さんに尋ねると「牛がやるんだよ」と答えた。鬱蒼と草木が生い茂る山林にパワーショベルで道をつくるのだという。中洞さんはジープからパワーショベルに乗り換えると、巧みに操りながら太い木をなぎ倒し、道をつくっていく。道がある程度整うと、最後に周辺を巡らせるようにして電柵を張る。そこに牛を放つ。

藪の中に放たれた牛を見に行った。牛が野生化しているようで、異様な光景だった。牛たちは木の葉や実、

1

山から降りてきて、搾乳を待つ牛たち。

2 生後2日の子牛も、自分の足で母牛の後を追いかける。首にはスタッフ手製のスヌード。3 カラマツの木を間伐する中洞さん。幹の曲がった木を選ぶ。さらに小さく切り分け、薪として使う。4 搾乳を待つ牛たち。中洞牧場に多い茶色い毛の牛は、乳質がよく小型で飼育しやすいジャージー種。

野草など、食べられるものはなんでも食べ、やがて食べ尽くす。藪の中の植物が食べ尽くされると、日差しが地面に注がれ、野シバが生い茂る。荒れ放題だった山林は美しい草原となり、牛たちが穏やかに暮らす場となる。野シバの若芽は牛の大好物だ。そして、野シバを育む土壌を肥やすのは、自らが排泄する糞尿なのだ。

臭いがしない牧場

中洞牧場には〝臭い〟がない。大地に排泄された糞尿はたちまち微生物たちの餌となり、分解され、土を肥やす。そして、青々した野シバになり代わるのだ。だから臭わない。

牛舎飼いでは、糞尿は完全にお荷物的存在だ。大量の糞尿を処理するのに費用がかかり、糞尿処理施設の建設にもかなりの投資をしなければならない。通常、牛舎の5倍の敷地が必要とされる。一方、中洞さんが実践してきた山地（やまち）酪農は、糞尿処理代はかからないばかりか、野シバなどの餌を育てる土を豊かにしてくれる貴重な資源になっている。ただし「この方法では山の面積に頭数を制限されるという弱点もある」と、中洞さんはいう。なぜなら、牛の餌は山に自生する植物だけだからだ。

2

しかし、山地酪農の本質はこの弱点にこそ隠されている。人間と牛が未利用の植物資源を牛乳という恵みに変える山地酪農は、自然の循環を活用できる範囲内においてのみ成立し、結果的に持続可能な酪農になりうると中洞さんは考えている。この点で、牛の体の仕組みと生産量を人工的にコントロールしようとする近代酪農の立場と決定的に一線を画する。中洞さんはこう語る。「日本の国土は7割が山林だがほとんど手入れされずに荒れ放題になっている。人間が木の間伐などの手入れをし、光を入れてあげれば草が育ち、それを牛が食べ、山を保全してくれる。間伐した木はお金にもなる。木が育つまでは山地酪農で生計を立てられれば林業と両立できるはずだ」。

3 | 4

5 搾乳機で1頭ずつ搾乳。朝晩2回。365日必ずする。酪農家が休めないと言われる理由だ。約40頭の搾乳で1日4時間かかる。6 瓶の口にできるクリームのラインはホモジナイズ加工（左下）してない証し。

命の牛乳

大半の酪農家は国や農協の指導に沿って、牛舎による近代酪農を推し進めてきた。その近代酪農が今、厳しい局面に立たされている。中洞さんもその凋落ぶりを肌で感じている。33年前に中洞さんがこの地に入植したころ、同じ岩泉町には300戸の酪農家がいたが、今では30戸に減り、後継者がいるところはほとんどない。

なぜ、こんなことになってしまったのだろうか。中洞さんは、自然の仕組みを人工的にコントロールしようとする近代酪農の根本的あり方に疑問を投げかける。山地酪農が自然の力に委ねるのを基本理念とするのに対し、近代酪農は人間と科学技術の力で自然を管理・支配することを目指す。その結果、管理に必要なコストがかさみ、経営を圧迫していると中洞さんはみている。糞尿処理代に加え、大きな負担となって酪農家に重くのしかかっているのが餌代と治療費だ。搾乳量を増やすため、穀物などを原材料とする輸入濃厚飼料を与えている。確かに搾乳量は増えるが、結果、輸入飼料代の値上がりに苦しめられているのだ。また、狭い牛舎で不健康な密飼いをしているので、病気になりやすく、治療費もバカにならない。牛舎で密飼いする場合の牛の平均寿命は6～7歳だが、受精も分娩も自然任せでストレスなく育つ中洞牧場では20歳近くまで長生きする牛もいる。

近代酪農では、母牛が出産するとすぐに子牛と引き離される。売るべき牛乳を子牛に飲まれてはたまらないからだ。一方、中洞牧場では人間と同じように産まれたての子牛は母牛の乳に吸い付いて、離乳のときまで一緒に過ごす。1リットルの牛乳をつくるには、400～500リットルの血液が必要で、母牛が命を削って子牛のためにつくるものを人間がおすそ分けしてもらっているという姿勢を中洞さんは貫いてきた。非効率な酪農ゆえに搾乳量は少ないが、その価値を認めた消費者が高い値段

＊ホモジナイズ加工

ホモジナイズ加工とは、ホモジナイザーと呼ばれる機械で牛乳に高圧をかけ、脂肪球を小さく砕いて均質化すること。日本の一般的な牛乳は、120～130℃で2～3秒間加熱殺菌する高温殺菌を行うが、原乳だと殺菌中の配管の中で乳脂肪が固まってこびりついてしまう。これを防ぐために行われるのがホモジナイズ加工だ。ただし、100℃を超える熱でタンパク質も変性するため、中洞さんは一般的な牛乳を、牛乳とは似て非なる「摩訶不思議な飲みもの」と表現する。中洞牧場では低温で30分間かけて殺菌している。

7 間伐前にチェーンソーの手入れをする中洞さん。
8 雪の中で干し草を食べる牛。吹雪のときはジッと動かずにいるが、日が当たると動き出し、自由に草を食む。

で中洞牧場の牛乳を購入している。

ぶれない志

１９８７年までは、自然放牧で酪農を営むことは、それほど珍しい光景ではなかった。しかしこの年以降、状況は一変する。牛乳の原料となる生乳を農協に出荷する際の取引基準が「乳脂肪率３・５％以上」と改訂されたのが、日本の酪農の大きな転換点となった。この基準を満たさない生乳は半値で買い取られ、自然放牧は事実上、退場を余儀なくされる。というのも、自然放牧で育つ牛は春から夏にかけて青草をたくさん食べるころ、乳脂肪率が３・５％を下回ることが多く、その基準をクリアするためには輸入濃厚飼料を食べさせるしかなかったのだ。

すでに高度経済成長期には、濃厚飼料を与えて牛舎飼いする近代酪農のスタイルが広がっていた。中洞さんはその流れに抗い、〝自然の中で健康に育った牛のミルク〟を看板に隣町の宮古市に通い、個人宅に営業をかけ、宅配の販路を開拓していった。中洞牧場の牛乳ファンはこうして少しずつ足元で広がっていった。

人間も自然界の一部

中洞さんは近代酪農を続けている限り、日本の酪農に未来はないと断言する。一部でも放牧を取り入れている酪農家は全体のわずかに過ぎず、中洞牧場のような通年昼夜自然放牧となると全国でも数戸しかいない。中洞さんの志の元に全国各地から20代を中心とする若者が集まり、寝食を共にしながら山地酪農を学び、数年すると各地に飛び、山地酪農を独自に始めている。

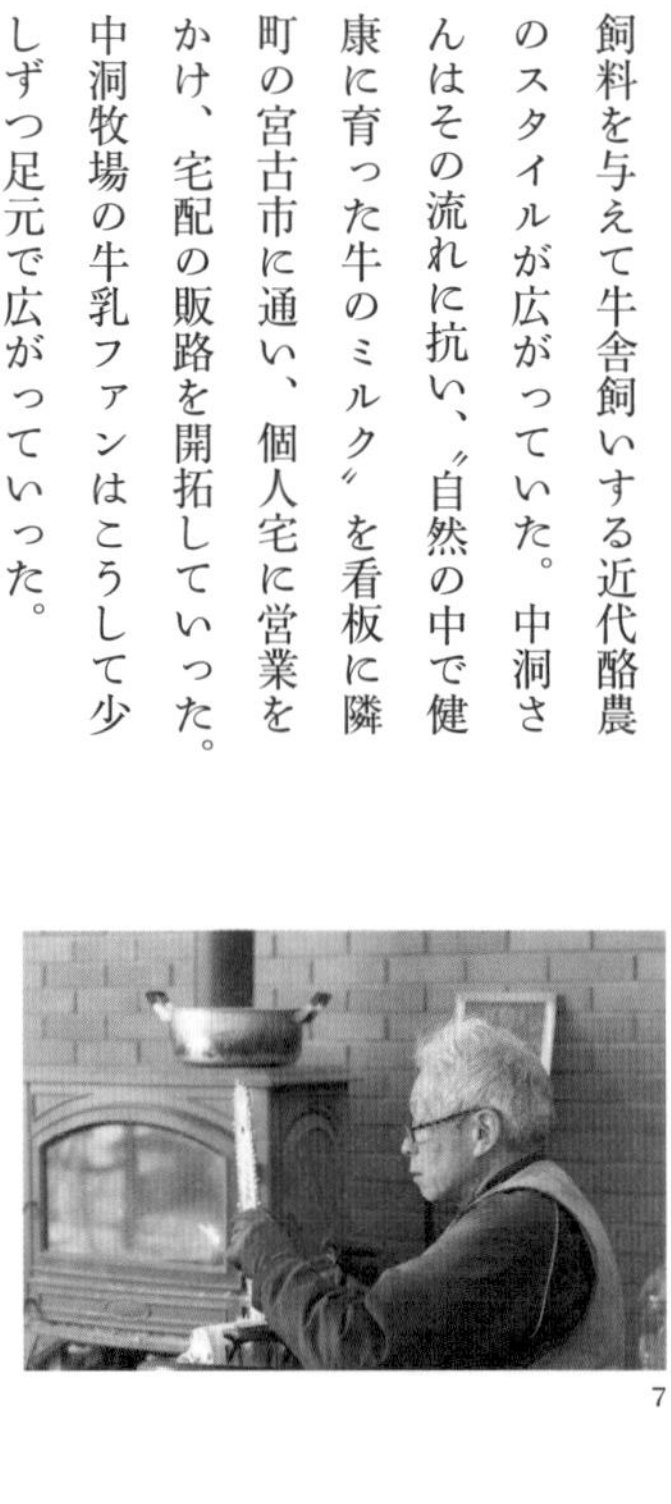

一次産業は食べものだけでなく人間も育てる。中洞さんの信条だ。「人間も自然界の一部に過ぎず、命ある生きものなんだぞ」ということを肌で体感してもらいたい。牛を育てる中洞牧場のもうひとつの顔は、人間を育てる中洞学校なのであった。

（２０１７年２月号）

7

牛乳でおいしくなる料理、いろいろ

1　バタークリーム

室温にもどしたバターをクリーム状になるまで泡立て器で混ぜます。別のボールで卵黄を白っぽくなるまで混ぜ、水とグラニュー糖をかるく煮つめたシロップを少しずつ加えていきます。粗熱が取れたら角(つの)が立つくらいまで泡立て、バターを加えてなめらかに混ぜればでき上がり。スコーンなどにつけてどうぞ。

2　ヨーグルトとラズベリーのスムージー

プレーンヨーグルトと冷凍のラズベリー、はちみつをミキサーに入れて撹拌するだけ。まろやかさに甘酸っぱさが加わった、さわやかなドリンクです。ラズベリーとミントの葉をのせて、彩りよく。

3　バター茶

鍋に湯を沸かし、プーアールの茶葉を入れて煮出します。茶こしでこして鍋に戻し入れ、牛乳とバター、岩塩を加えてひと煮立ちさせれば完成。

飲むだけじゃない、牛乳の楽しみ方

そのまま飲んでおいしいのはもちろん、いろいろな料理に加えると、味わいがまろやかになったり、口当たりがふんわりとしたり。そんなところも牛乳の魅力です。たとえばスクランブルエッグ。いつもより多めに牛乳を加えてみたら、ふんわり、とろりの仕上がりに感激。

牛乳から作られるバターやヨーグルトも、ひと工夫で、だれかに自慢したくなる一品になります。

4　フレンチトースト

卵とグラニュー糖、牛乳、バニラオイルを混ぜた卵液に、厚めに切った食パン1枚を浸します。バターで両面を蒸し焼きにすると、しっとりとした焼き上がりに。バターをのせ、メープルシロップをかけてめしあがれ。

5　ホット・バタード・ラム

耐熱のグラスに角砂糖とダークラムを入れ、熱湯を注いでバターを浮かべます。シナモンスティックで混ぜながらいただけば、寒い日にうれしい大人の飲み物に。熱湯を温めた牛乳に替えてもおいしい。

6　スクランブルエッグ

卵をよく溶いたら、塩とたっぷりの牛乳を加えます。フライパンにバターを弱火で溶かして卵液を入れ、弱火のまま絶えず混ぜながら火を入れれば、とろりとした仕上がりに。パセリを散らしても。牛乳は、卵1個につき¼カップほどが目安。

人を寄せる伊達の純粋赤豚

宮城県登米市迫町新田・伊藤秀雄さん

農業を食業に変える。今から29年前、当時30歳で伊豆沼農産を地元の宮城県登米市で起業した伊藤秀雄さん（60）が掲げたビジョンだ。〈農業〉は農産物を生産することを意味する言葉だが、伊藤さんがやりたいことはその範疇を超えていた。生産者が育てた農畜産物を「食べもの」として消費者の食卓に届けるまでをぜんぶやりたかった。それを伊藤さんは〈食業〉と表現したのだった。

折しも、豚に薬剤を投与して強引に肥育効率を上げるやり方や、どこの誰が食べているのかわからない流通のあり方に徐々に疑問を感じるようになっていた。その思いが、既存の規模拡大型農業から、未知の付加価値型農業、すなわち食業へと伊藤さんを後押しした。

新しい豚との出会い

伊藤さんが伊豆沼農産で追求した付加価値型農業の象徴が、豚のブランド化である。２００2年、宮城県畜産試験場が8年かけて誕生させた豚の「しもふりレッド」は、一般的な三元豚に比べると生産効率が悪かったが、霜降りの度合いが高く、肉質も柔らかいという特徴があった。

伊藤さんは「しもふりレッド」を飼育するために、8戸の養豚農家に呼びかけ、「伊達の赤豚会」を結成。そのメンバーで現会長の、佐々木昭さん（66）は当時をこう振り返る。

「規模だけを求めていた時代だったので、もっと他に道はないのかと考えていたときに、この豚を知った。三元豚の雌豚からは10頭の子どもが産まれてくるのに、この豚は6、7頭しか産まないし、病気にも弱いから、コスト面でリスクを負う。その分、値段も上がる」。しかしそれを遥かに上回るメリットに気づいてしまったという。「（当時は）自分たちが

1 左から、豚の飼育担当の佐々木剛さん、伊藤秀雄社長、佐藤裕美さん。社長の理念を、若い力が具現化しようとしている。2 食農体験ファームから見た新田の風景。3.2haのこの土地は石だらけで、石を取っては掘り起こし、初年度は1aからスタート。3 ゆとりのある豚舎で暮らす豚たちはストレスが少ない。

飼育した豚を自分たちで加工して食べてみる、なんていう時代じゃなかったが、初めて自分の豚のベーコン食べたときはそりゃうまかったよ」。

仙台のデパートの伊豆沼農産ブースで豚肉を買ったという住民から「この豚のファンになった」と言われた佐々木さんは、出荷して終わりの養豚をしていたときには感じられなかった喜びとやりがいを手にするようになったという。現在、赤豚は地元の養豚農家12戸で生産グループをつくり、伊豆沼農産が全頭買い取りで、加工・販売を行っている。

豚で勝負に出る

伊藤さんは、緻密な戦略家でもある。例えば、２００３年に「しもふりレッド」を純粋交配させて生産した肉豚を「伊達の純粋赤豚」(以下、赤豚)と名付け、伊豆沼農産独自ブランドを生み出した。そしてそのお披露目をあえて遠く離れた鹿児島県の人気デパートに設定したのだった。

1

鹿児島といえば「黒豚」の聖地である。そのお膝元を襲うかのような赤豚のお披露目はマスコミ各社に取り上げられ、黒対赤の豚肉戦争として話題を呼んだ。伊藤さんは「ケンカを売りに行ったわけじゃなくて、横綱の胸を借りに行っただけですよ。負けたら尻尾巻いて帰ってこようと思っていました」と笑うが、香港へ輸出した際にも話題となり、全国放送のテレビ番組で特集を組まれるなど、伊藤さんは広告宣伝費ゼロで赤豚の知名度を上げていった。これらの仕掛けはすべてを計算した上でのプロモーション戦略の一環だった。

そこにしかない価値で人を寄せる

創業以来、一心不乱に走り続けてきた伊藤さんは、赤豚のブランド化による販路拡大や、地域一貫生産販売システムの確立など、「農業を食業に変える」というビジョンを着実に具現化してきた。ドイツマイスター

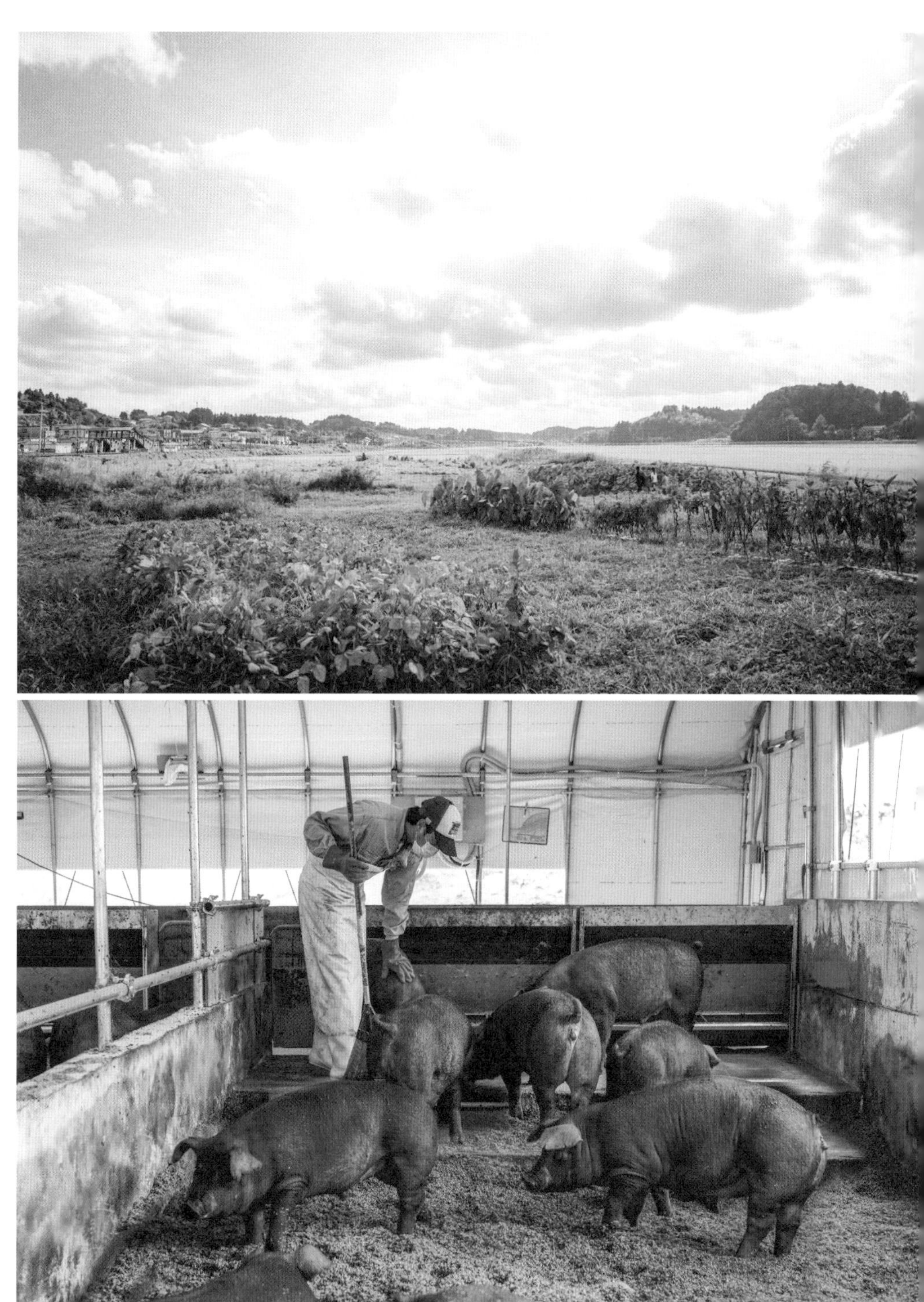

4 創業直後からウィンナーやハムの自社生産に取り組んでいる。伊豆沼農産の原点だ。5 生ハム体験工房では血抜き・塩漬けとお客さん自ら行い、生ハムオーナーになれる。

の製造技術も取り入れて完成させた伊豆沼ハムシリーズの中からは、世界最高峰のドイツ国際食肉加工品コンテストで、味、食感、香りなど実に２００に及ぶすべての項目で合格点をとり、金メダルを受賞した商品も生まれた。当初掲げたビジョンの実現に手応えを持った伊藤さんは、それをさらに進化させ、２００４年に新たなビジョンを掲げた。それが「農村産業モデルの確立」だ。

　農村にある暮らしや、互いに助け合う文化などの無形の資源を活かした誘客産業を興し、都市住民の力を引き込まなければ農村に未来はないと考えるようになったのだ。

「日本は本格的な人口減少社会に入った。どこの人口が減るかとなれば、農村部だ。ここに人がいなくなったらどうなるんですか。国土保全、食糧供給。これまでは農家がやってきた。国家を維持するためにも、誰かがやらないと。都会の人が農村部に定期的に通う仕組みをつくれば、田舎にも身の丈にあった産業を興せる。田舎の暮らしそのものに価値を見出し、お金を落としてもらえれば、少ない人口でも田舎は維持していけるはずだ」

　例えば、お客さんが同地区を地元住民のガイドと一緒に歩きながら、地域にある自然を体感し、途中、地元のおばあちゃんの家に立ち寄り、手づくりの漬物をいただきながら話を聞く体験プログラムなどを企画し、年間２０００人ちかく集めている。

　その地域にある資源を活用して地域に最適な産業を興す。それをまずは伊豆沼農産がこの地域で実践し、持続可能な形にできれば、あとはそのノウハウを他の地域に広げていきたいと、大きな目標を掲げる。

「その地域にしかない資源がある。特に人間がそうだ。地域地域でコンテンツは違うのだから、日本一のコンテンツを各地域でつくれるはずだ」。例えば、地元のおばあちゃんが仕込んで蔵に寝かせてあるキムチがある。商品化もできるかもしれない。でも、その古びた蔵でおばあちゃんの話を聞きながら口にするキムチこそ何にも代えられない価値だ、という。地域から持ち出せる価値では都市住民を感動させられない。外に持ち出せない、その場にあるからこそ生まれる価値に触れるからこそ、本当に心を打つ。そのようにして「伊達の純粋赤豚」は、確実に伊豆沼へ人を寄せるエンジンとして活躍している。

（２０１７年９月号）

塩釜焼きで豚肉を味わう

フライパンで気軽に作れる、見た目にも豪快な一品

煮込みに適するとされる豚のもも、肩肉ですが、食感や風味をよりダイレクトに楽しめるのが、塩釜焼き。塩ですっぽりおおい、まさに釜の効果でゆっくり加熱。うまみを逃がさずやわらかく火が入り、ほどよい塩味もつきます。かたまり肉ならではのおいしさが味わえます。

フライパンにオーブン用シートを敷き、卵白を混ぜた粗塩を広げます。ハーブ（タイム、ローズマリーなど）1枝をのせてから豚肉を置き、さらにハーブをのせます。卵白を混ぜた粗塩で全体をおおい、ふたをして、やや強めの弱火で30～40分蒸し焼きにすれば完成です。塩釜を割って豚肉を食べやすく切り分け、粒マスタードなどをつけながらいただきます。

ハーブ

塩

豚肉

家族として育つ「奇跡の肉牛」

岩手県久慈市山形村・柿木敏由貴さん

白く深いもやが立ちこめていた。目を凝らすと、霧の彼方にうっすら短角牛の群れが見える。気温18℃。8月に入ったというのに、肌寒い。

久慈市短角牛基幹牧場、通称エリート牧場。いくつもの基準をクリアした短角牛たちが、7つのエリアで放牧されている。迷彩柄の雨合羽を頭から羽織った柿木敏由貴（としゆき）さん（40）の姿はそこにあった。「いわて山形村短角牛」の生産を手掛ける柿木畜産の代表だ。

敏由貴さんは、牧場から車で40分の山形村小国で生まれ育った。NHK連続ドラマ「あまちゃん」で一躍全国区となった久慈市と合併し、久慈市山形町小国となっている。

山形町は北上山地の北端に位置し、95％が山林原野、70％が標高４００メートル以上という典型的な山村である。夏期の平均気温は20℃前後。偏東風（やませ）がよく吹き、霜が降りる期間も長い。

1 敏由貴さんのお父さんの由蔵さん。かつては馬喰だった。

荷を運び、闘う牛は家族の一員

短角牛は日本短角種という和牛の一種で、旧南部藩の頃、沿岸と内陸を結ぶ〝塩の道〟で物資輸送に使われていた南部牛をルーツとする。岩手県沿岸北部から、遠いところでは山形県庄内地方まで三陸の塩を運んだ。毛色が赤茶色であるところから、「赤べこ」とも言われた。

険しい山岳道を背に荷物を積んで運ぶ南部牛には、グループを統率する強いリーダーが必要だった。「角を突き合わせ、力比べをさせることで、先頭を歩くリーダー役を決めたもんだ」と言うのは敏由貴さんの父、由蔵さん。闘牛は生活の一部なのだ。

ひとつ屋根の下、牛と暮らす

そもそも現在の短角牛の原型は、明治以降輸入されたイギリスのショートホーン種と南部牛の交配によって誕生した。山林原野の草資源を飼料基盤とし、夏は山間放牧、冬は里に戻す「夏山冬里」方式で育てられた。牛は偏東風も関係がない。飢饉知らずでもある。岩手の厳しい自然環境の中で育てるには、うってつけだった。

「昔、このあたりは、牛は一家に一頭の必需品だった」と由蔵さん。野菜をつくるために必要な堆肥をつくり、田畑を耕す動力となった。旧南部領に特徴的に見られた伝統的農家の建築様式である「南部曲り家」は、母屋と牛舎がL字型に一体化している。母屋から牛舎に暖気が流れ込み、飼育されている牛を温める仕組みの家屋だ。牛舎には専用の神棚が祭られ、牛は家族同様に大切にされた。

牛の尊厳に値をつける

由蔵さんは18歳のころに馬喰（ばくろう）を生業にした。馬喰とは、牛や馬を売り買いするディーラーのこと。あるときは子牛を農家に売り、成長した牛を今度は現金で買い取る。競りでは、牛を見て「これくらいの値のある牛だ」と見極めると、迷わずひときわ大きな声で買値を叫んだ。農家に「あの人はかけひきでなく、牛の価値

2 去勢手術のために村の人たちが牧場に集まる。
3 牧場の隣にあるトウモロコシ畑。ここで敏由貴さんは自家製の飼料も育てている。

をちゃんとみて値付けする人だ」と思わせることが大事だと思っていた。北東北中を歩きまわり、農家との信頼関係をつくりながら商売に打ち込んだ。農家の足元をみて、牛を買い叩くなどの悪質な馬喰も多かった時代。由蔵さんは、農家が飼育する短角牛を適正価格で売買する信用商売を武器にした。

売り買いするには、牛を立たせて目利きをしなければならない。幼少のころから由蔵さんにくっついて各地の畜産農家を見てまわった敏由貴さんは、ある馬喰が蹴っ飛ばして、牛を立たせているのを見た。「そういう心ない馬喰に、牛に愛着を持っている農家は売りたがらない。うちのオヤジは決してそんなことはしなかった」と、誇らしげに父の昔の姿を語った。こうして、牛の育て方、目利きの方法、畜産農家との付き合い方を見ながら、敏由貴さんは育っていった。

牛肉の輸入自由化が転機に

そんな馬喰の生活も、１９９１年牛肉の自由化を境に一変していく。輸入牛肉におされ、副業として短角牛を育てていた零細な畜産農家は廃業に追い込まれていった。残った専業畜産農家も付加価値の高い黒毛和牛の生産一辺倒にシフトしていく。それまで、短角牛も黒毛和牛も価値に差はなく、値段も同程度だった。しかし、赤身肉が特徴の短角牛は同じく赤身の輸入肉とバッティングするため、サシの入った黒毛の価値が相対的にあがると予想された。

「このままでは短角牛をやる牛飼いは少なくなり、やがていなくなってしまう。そうなれば、短角牛の価値を理解し買ってくれている契約先に届けられなくなる。ならば自分でやるしかない。生産者が減れば希少価値も出るだろう」と、由蔵さんは一念発起。馬喰で鍛えた目利きを活かし、良質な母牛の確保に乗り出した。逆張りで短角牛の大規模畜産に打ってでた結果、柿木畜産の短角牛の生産頭数は現在、日本一の３０１頭を

3

4 国産飼料にあくまでこだわる。5 放牧している牛と敏由貴さん。6 ギョロリと睨む、体重1トンの闘牛『横綱』。

数えるまでに成長している。

死んでから価値がでるのが家畜

「死んでから価値がでるのが家畜。牛を殺すことは自分にはできない。だから、それを仕事にしている人たちには感謝だ。牛を殺すのはかわいそうだから私は食べないというベジタリアンもいる。それはそれでいいけど野菜も命。同じことだ。だから、なんにしても感謝して食べないと」

家族として育つ奇跡の肉牛

短角牛は、生後3ヶ月すると、母牛と一緒に半年間放牧され、母乳と無農薬の牧草だけで育つ。短角牛は乳量も豊富で、子牛は1日約1kgのペースで増体し、10月の下山時には200kg以上になっている。牛舎での越冬時に食べるのも、自家栽培された飼料用トウモロコシ、国産の稲わらなどの粗飼料が中心だ。素性の分からない飼料は一切与えてない。

4

100%国産飼料で育てる純粋な国産短角牛は山形町だけで、国内肉用牛全体の0.5%にも満たないことから「奇跡の牛」とも称され、産地を名指しする料理人のファンも多い。

「牛とは、本来、草を食べて育つ動物。だから病気予防のための抗生物質の飼料添加などは一切やらない。濃厚飼料を失明寸前まで飽食させるというような（サシを無理に入れるために主流となった）飼育方法とは違い、放牧を取り入れ、牛を自然で健康にストレスなく育てているのが短角牛だ」。牛の命を尊重するのは「家族」だからかもしれない。

結婚を間近に控える敏由貴さん。子どもはまだ授かっていないが、一足先に親心を味わった。東京のホテルで開催されたイベントで、柿木畜産の短角牛のローストビーフが振舞われた。「いいとこに娘を嫁に出す心境だ」。スーツを着込んだ敏由貴さんは、お客様に切り分けるシェフの横で照れくさそうにつぶやいた。

（2013年8月号）

短角牛の、ぜいたくカレー

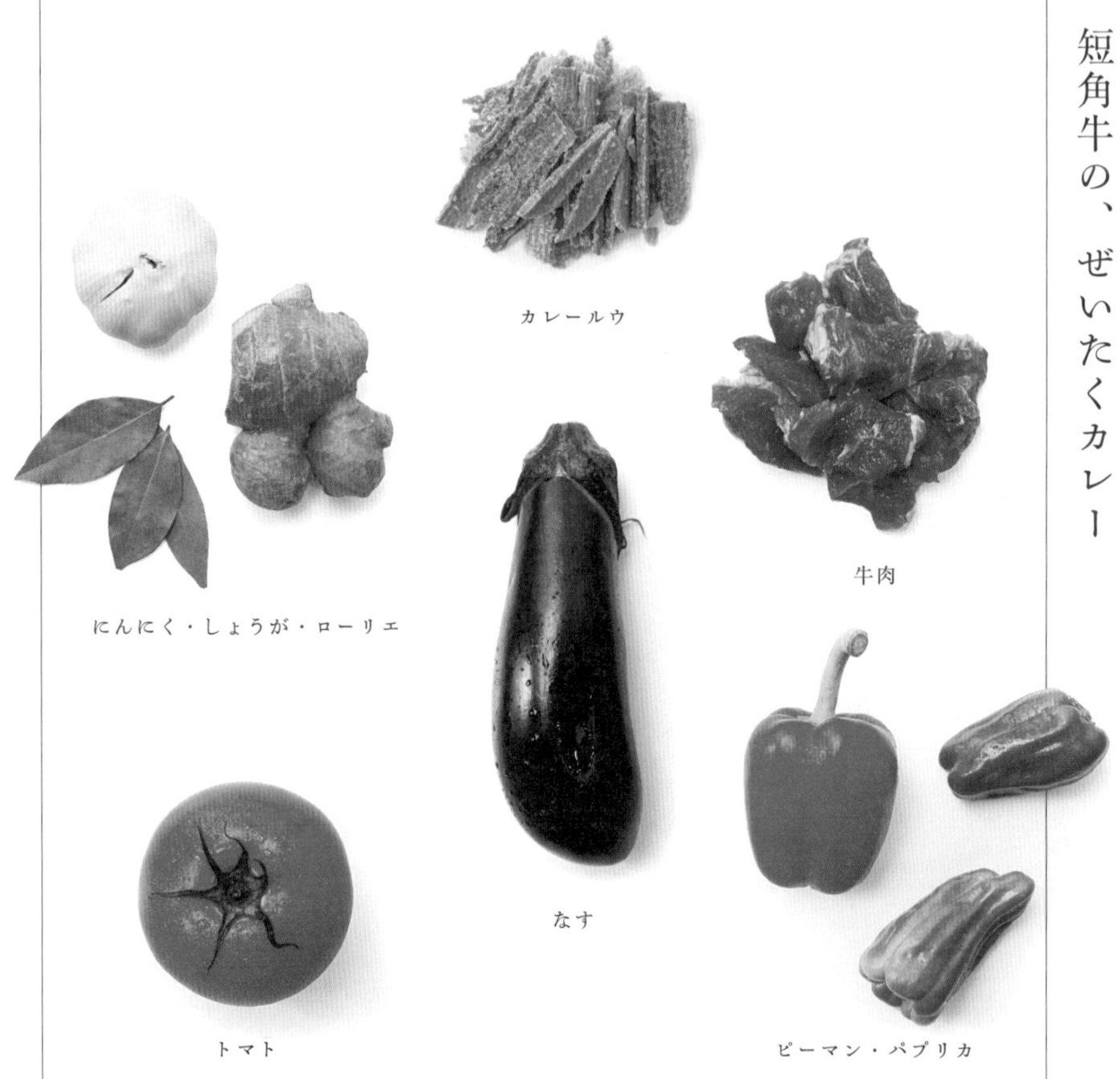

じっくり煮込んで、牛肉のうまみを引き出す

短角牛の魅力は、なんといっても良質な赤身肉。うまみの素であるグルタミン酸やイノシン酸が豊富で、かむほどに口の中にうまみが広がります。じっくり煮込むことで短角牛ならではのうまみや食感が際立つので、カレーにするのもおすすめ。野菜のうまみも溶け込んだ、極上の味わいです。

牛肉は大きめに切り、塩をふってフライパンで焼き色がつくまで焼きます。鍋に入れてかぶるくらいの水とローリエを加え、4時間ほど煮込みます。1cm角に刻んだ玉ねぎ、トマト、なす、ピーマン、パプリカと、にんにく、しょうがのみじん切りをじっくり炒めて鍋に加え、10分ほど煮ます。カレールウとガラムマサラを加えれば完成。一昼夜ねかすと、さらにおいしくなります。

1 瓶の中身は、残されていた浪江時代の酒母から取り出した酵母。鈴木酒造店の酒造り再開の原動力となった。

地域のDNAとして機能する酒蔵の酒・酒粕

山形県長井市四ツ谷・鈴木大介さん

　山形県が誇る朝日連峰は、まっ白な雪化粧を施していた。日本有数のブナの原生林を有する山々に降り積もった雪が水源となり、この町に豊富で綺麗な水をもたらしている。この水を使って酒造りをしている鈴木酒造店は福島県浪江町にあった。東日本大震災で酒蔵は跡形もなく流され、さらに原発事故で避難区域に指定されたため、浪江での酒造りを断念。今から3年前、豪雪地帯の長井に移り住み、再出発した。

　鈴木酒造店の酒造りは、どの工程でも手仕事にこだわっている。気温や湿度の影響を受ける麹や酵母などの微生物を相手にするのが、酒造りである。豊富な経験に基づき、微妙なさじ加減ができる人間が関わった方が美味しい酒になる。加工業とはいえ、どこまでも生き物相手の仕事なのだ。だからこそ、機械任せではなく、その生き物に自分で手間を加えた分だけ、働く人の歓びとやりがいも増す。

酒は地域の記憶として機能する

　酒蔵は、およそ400世帯の住民が暮らす浪江町請戸（うけど）地区にあった。堤防から30メートルのところに建っていた木造の酒蔵の敷地には、海が時化ると波しぶきが飛んできた。

　代表銘柄「磐城壽（いわきことぶき）」は、大漁を祝う祝い酒として誕生した。鈴木酒造店は海の文化に寄り添い、漁師を始

1

2 蒸し上がった酒米を甑（こしき）から桶に取り出しては、いかだに運んで広げる。3 麹、酵母、仕込み水を合わせたタンクに蒸し米を加えて醪（もろみ）を仕込む。

めとする地域住民に支えられながら、酒造りを受け継いできた。請戸の人々の暮らしもまた、その酒と共にあった。毎年、住民たちは年末になると鈴木酒造店の酒粕で甘酒をつくって飲み、新年を迎えた。漁師たちは新しい漁船を買ったときの進水式で、鈴木酒造店の酒で船を清める安全祈願を欠かさなかった。また、300年の歴史を持つ安波祭では、お神酒に鈴木酒造店の酒が使われた。祭のクライマックスでは、若い漁師たちが樽神輿を担いで厳寒の海に入るのだが、その前には必ず鈴木酒造店に立ち寄って酒を飲むという慣例があった。杜氏であり専務の鈴木大介さん（41）は「祭は、自分も含め、請戸の人たちにとってアイデンティティそのものだった」と振り返る。

2011年3月11日、そのアイデンティティは東日本大震災に伴う津波と原発事故によって奪われた。請戸は10メートルを超える津波で壊滅。酒造りの材料道具すべてを酒蔵もろとも流された。

2

避難所で「浪江のものを残してくれ。もう一度、磐城壽をつくってくれ」という声を何度も住民からかけられるようになった。津波被害に加え、爆発事故を起こした福島第一原発から直線距離で7キロメートルの場所にあった酒蔵のある請戸地区は避難区域に指定され、酒蔵の現地再建は不可能に思われた。「土地」と「祭」を失った住民たちは〝自分がなにものであるか〟を確認できる術を失っていた。少しでも馴染みのあるものにすがりたい。「自分は酒をつくることしかできないが、土地と祭に深く根付いたあの酒をもう一度みんなに飲んでもらうことで少しでも心の支えになることができるんじゃないだろうか」。

そんな折、朗報が舞い込んだ。福島県の技術研究所「ハイテクプラザ会津若松技術支援センター」に震災前に大介さんが預けた酒母が残っているという。これがあればもう一度、あの磐城壽の味を再現することも可能だ。山形県長井市の東洋酒造が後

The Fishermen's

4 麹づくりを担当する大介さんの妻、裕子さん。
5 できるだけ福島県内の米を使って、全国に離散してしまった浪江町民のためにつくる「磐城壽」。

継者不在で空いており、代表銘柄の「一生幸福」を受け継ぐことを条件に譲り受けることになった。酒造りできる酒蔵は手に入れたが、縁もゆかりもない長井には酒を買ってくれる客がいなかった。大介さんは、改めて浪江時代の自分たちの酒蔵がいかに地元住民たちに支えられていたのかを思い知らされたという。

酒には人を集める力がある

　震災前、地域を大事にする鈴木酒造店は、漁村集落の魚食文化に合った酒の味を極めていた。地元では、鈴木酒造店の酒は「浪江で獲れる魚と飲んだらたまらない」と圧倒的な人気を誇った。実に販路の8割が福島県内だった。震災後、請戸地区に一次帰宅した住民たちは、瓦礫の中に埋もれていた鈴木酒造店の酒瓶を見つけては酒蔵のあった敷地に持ってきて並べていったという。それほど地元住民から愛される酒蔵だった。

　大介さんの原点は、あの酒蔵にある。幼少期から過ごした酒蔵の香りは体に染みつき、大介さんが杜氏として酒造りを始めたときに最初に意識したのはこの香りだったという。

「ひとり暮らしをはじめたときも、最初は母親のつくっていた料理の味に近づけようとする。あれと同じ」。ふるさとの味は、大人になってからの味覚の基準になる、というわけだ。

「人が集まるところには酒がある。この酒が、あちこち離ればなれになってしまった家族や親族、同級生たちが集まるきっかけにもなる」。浪江町民は、和歌山県を除くすべての都道府県に散り散りになってしまった。離散して暮らしている家族も多い。大介さんは、このような状態を「浪江の家庭料理、食文化の引き継ぎができなくなっている」と憂慮する。たとえ、土地や祭を失っても、ふるさとの味の記憶を残し、受け継いでいけば、心の中にふるさとは生き続けるのではないか。そう考える大介さんは、浪江の人々の絆を保っていける酒をつくっていきたいという心境でいる。そうして、自分たちの代で絶対に浪江のふるさとを取り戻し、あの場所でもう一度酒造りをすると心に決めている。

（２０１５年１月号）

5

酒粕のおいしい食べ方、いろいろ

1 焼き酒粕

素朴ながら滋味深いおやつ。一口大にちぎった酒粕をオーブントースターの天板に並べ、砂糖を多めにふって焦げ目がつくまで焼いて。砂糖をかけずに焼き、しょうゆをつけてもおいしい。

2 根菜の粕汁

一口大に切った里いも、大根、にんじん、れんこん、ごぼう、厚揚げ、こんにゃくと、かぶるくらいの水を鍋に入れて煮立てます。酒粕とみそを溶き入れ、ねぎを加えて塩で味をととのえます。

3 ゴーダチーズと酒粕のピザ

トマトソースに酒粕を使った一品。炒めた玉ねぎとにんにくに、酒粕、カットトマト、水をペースト状にしたものを加えてソースにします。少ししょうゆを加えるのがポイント。市販のピザ生地にたっぷり塗り、トマト、ゴーダチーズ、バジルをのせ、オリーブオイルをふってオーブンで焼きます。

4　2種の酒粕ディップ

「酒粕のマヨネーズ風」と「酒粕クリームチーズ」、それぞれ野菜スティックやクラッカーなどにつけていただきます。

酒粕のマヨネーズ風

酒粕は同量の湯と合わせてなめらかに混ぜ、酢、オリーブオイルを順に加えながらよく混ぜます。塩、こしょうで味をととのえれば、やさしい味わいのマヨネーズのようなディップの完成です。

酒粕クリームチーズ

酒粕とクリームチーズを練り混ぜるだけ。堅くて混ぜにくいようなら、室温に少し置いてから混ぜるとよいでしょう。好みではちみつやラムレーズンなどを加えるのもおすすめです。

5　酒粕アイスクリーム

酒粕はバニラアイスとの相性も◎。バニラアイスに細かくちぎった酒粕を加えて混ぜ、冷凍庫で冷やし固めます。途中、何度か空気を含ませるように混ぜると、口当たりがよくなります。

洋風メニューや デザートにも使える酒粕

酒粕とは、発酵させた「もろみ」から酒をしぼった後の、いわばしぼりかす。でも、発酵によって生み出されるアミノ酸やビタミンなどが豊富で、栄養価の高さは抜群なのです。

その芳醇な風味は、さまざまな料理の味わいを深めてくれます。和食はもちろん、洋風メニューやデザートにも。目からうろこの食べ方、使い方、ぜひ、お試しあれ。

6　3種の酒粕クラッカー

酒粕、小麦粉、オリーブオイル、塩で作った生地を3つに分け、それぞれに黒いりごま、粉チーズ、こしょうを練り込みます。棒状に切り、オーブンで焼けば完成。おつまみにもぴったり。

日もちがすごい料理の名バイプレイヤー

現地の料理人が語る
東北食材の魅力

生にんにく

澤内昭宏　リストランテ澤内

青森県の太平洋側に位置する八戸市はレストランにとって恵まれた街かもしれない。海山里に囲まれ、産地との距離が驚くほど近いからだ。「リストランテ澤内」ではそんな好条件をフル活用。年じゅう使うトマトの水煮はもちろん、アンチョビーも近海で水揚げされた背黒いわしで自家製……というぐあいに、青森県ならではのイタリア料理を繰り出す。「青森県産のにんにくを長年使ってきましたが、これはまさに段違いのにんにく」と、オーナーシェフの澤内昭宏さんが太鼓判を押すのが、宮村さんのにんにくだ。

「品種は一般的な福地ホワイト六片種。しかし、このにんにくは日もちがすごい」のだという。「秋口に収穫したにんにくを一年使うのですが、そのまま置いておいても芽が出ることがなく、もちがいい。うちで使うにんにくは、大半を刻んでオリーブオイルに漬け、真空パックで保管しているのですが、いつ使っても香りがいい。料理にこくも加わります」。

冬の名物として名を馳せるこの店の「八戸ブイヤベース」も宮村さんのにんにくが大活躍。濃厚なだしの出る、とげくりがにを軸に、その日に入れる魚介のあらなどでとったスープに、たら、黒そい、ムール貝、帆立て貝、北寄貝、水だこなどが具として加わるブイヤベースだ。主張が激しい個々の魚介のうまみが重なり合うが、複雑な味わいではなく重層的なおいしさへと味をまとめてくれるのが、ほかでもない、そのにんにくなのだ。

「宮村さんのにんにくは、食材の個性をつないでくれる。とてもいい役割を演じるんですよ」。料理の名バイプレイヤー、ここにあり、だ。

1 みじん切りにしたにんにくをオリーブオイルに漬け込み、真空パックで保存する。大量のにんにくを扱う料理人の知恵だ。2 帆立て貝や水だこなどは表面だけあぶるのみ。3「八戸ブイヤベース」はランチ(2900円)とディナー(3900円)のコースの一部として2月1日〜3月31日の2カ月間のみ供される。4 きのこのパスタや牛肉の煮込みにもにんにくは活躍するという。

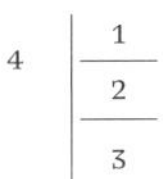

リストランテ澤内
青森県八戸市南類家1-12-10
Tel. 0178-22-7638

現地の料理人が語る
東北食材の魅力

豚

佐々木めぐみ　くんぺる農場レストラン

全頭が検食後に出荷される究極の霜ふり豚肉

白鳥など渡り鳥の越冬地として知られる宮城県の伊豆沼。そのほとりにたたずむ「くんぺる農場レストラン」をめざして、遠くは仙台やお隣の岩手県から人々が訪れる理由が「伊達の純粋赤豚」だ。

「ファンを多く持っている豚肉なんです」と教えてくれたのは「くんぺる」のマネージャーで店頭にも立つ佐々木めぐみさん。「ご高齢のファンも多く、60歳以上とお見受けするようなお客さまでもステーキをぺろりとめしあがります」。食通が味を理解してリピートするケースが多いよう。

厨房スタッフが「脂身への火の通りが早い」と言うとおり、脂肪の融点が低いのはこの豚肉の特徴だ。口内の温度でも脂が溶けるため、舌ざわりがいいうえに食後もさっぱりとした印象だ。きめの細かい霜ふり状のサシが入り、その甘みが濃厚でおいしい。脂肪酸組成を調べれば、オリーブオイルと同じオレイン酸が多いということだ。

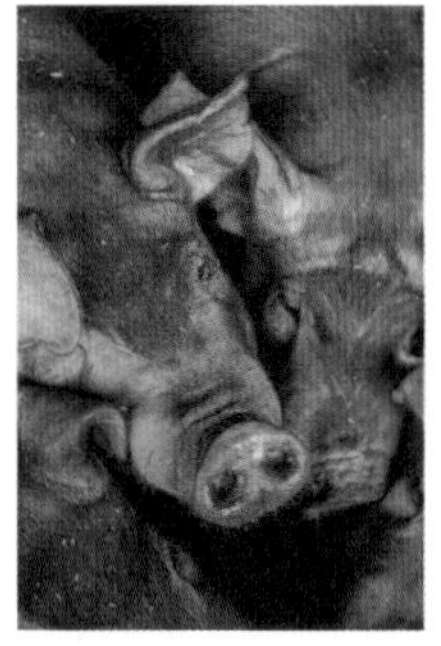

肉質も高い。淡いピンク色の赤身はグルタミン酸やイノシン酸が多く含まれているためうまみが濃い。そして筋組織が細かいからだろうか、多汁性にも富んでおり、しっとりした食感を楽しめもする。

そもそも「伊達の純粋赤豚」は「くんぺる」を経営する農業生産法人㈲伊豆沼農産が、農畜産物の付加価値化を目的として生み出したブランドだ。「生産者が心をこめて育てることによって生まれる価値を、責任を持ってお届けするため、出荷前に一頭ずつ検食をしています。この検査基準を満たさなければ、精肉が店頭に並ぶことはありません」と佐々木さん。作り手が伝えたかった豚肉の真価を味わってほしい。

1 今回インタビューに応じてくれたマネージャーの佐々木さん（左）。2 赤身がピンクで品のある美しさ。3「ポークロースグリル」は両面にかるく焼き目をつけ、オーブンで加熱する。4 180g前後と大きめな「ポークロースグリル」はライスセット（1380円）で。5 脂身の甘い芳香や赤身のうまみを楽しむなら、ロース＋バラ合計で100gの「赤豚しゃぶしゃぶ」（1480円）を。

1	2
3	4
	5

くんぺる農場レストラン
宮城県登米市迫町新田字前沼149-7
Tel. 0220-28-3131

現地の菓子職人が語る
東北食材の魅力

胡桃

小笠原正蔵　小笠原菓子舗

軽やかでおだやかな、故郷の味

「胡桃はね、ふだんはビールのつまみ。最高ですよ。好きで食べるというか、この辺ではそれが普通なのさ」。手打ち胡桃は歯でかめば割れるため〈歯胡桃〉とも呼ばれ、少し前まで村のあちこちに生えていた。子どものころからポリポリと日常的に食べる、ごく身近な食材なのだと教えてくれたのは、「小笠原菓子舗」代表の小笠原正蔵さん。

「小井田立体農業研究所」から車でほんの数分の場所に店を構える小笠原さんにとって、小井田親子は昔から知るご近所さんだ。3～4年前、地域の協議会で特産品を作る計画が立ち上がり、なじみの胡桃で開発したのが「手打ちクルミのケーキ」。クッキーや生菓子……いろいろ作っていちばんしっくり来たのが、パウンドケーキだった。「輸入の胡桃に比べて、手打ち胡桃の食感は軽い。それが生かせるのがパウンド生地でした。それから輸入ものは渋みがあるでしょう。こっちはなんといったらいいかな、ミルクみたいな味なんです」。

乳製品を思わせるおだやかな甘さと香りは、かるくローストすることで、他の材料と合わせても負けない強さを宿す。甘みづけには、村が誇るもう一つの特産・甘茶を使用。濃く煮出し、はちみつや香りづけ用のラム酒といっしょに生地に混ぜ込み、すっきりと切れのいい後味に仕上げた。とはいえ、「やっぱり主役は胡桃だから」と小笠原さん。しっとりとした生地全体にちりばめた胡桃の分量には、ちょっとした自負がある。

お盆のころ、店の工房は忙しい。村に帰省した人々を迎え見送るとき、手土産の定番となっているのがこのケーキ。懐かしい故郷を思い起こさせる、滋味深くやさしい銘菓である。

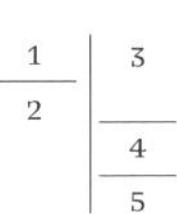

1 手土産用にまとめ買いする人も多い気軽な焼き菓子。2 ケースには手ごろなスイーツが並ぶ。3 生地に混ぜ込む胡桃はカリカリとした食感を生かすため、ざっくりと粗めに刻む。4 甘い香りに包まれる厨房。5「地域を代表するお菓子を作っていきたい」と語る小笠原さん。「手打ちクルミのケーキ」のほかにも、甘茶入りのあんをパイで包んだ銘菓など、九戸ならではの商品を開発してきた。

小笠原菓子舗
岩手県九戸郡九戸村大字江刺家
柿の木 6-88
Tel. 0195-42-2522

東北食べる通信
桜鱒
蜆
馬面剝
倉石牛
豚
胡桃
木苺
穴子
牛乳
若布
赤皿貝
蕎麦
生若布
鰰
豚
赤藻屑
香草
芹
洋梨
玄米
蕨
白桃
土垂
独活
トマト
黒毛和牛
薩摩芋

東北の風土が持つ極彩色で塗りつぶす

『東北食べる通信』デザイン・写真　玉利康延

　編集長の高橋博之に連れられて、震災後の10年で100往復は東北へ通っただろうか。通い始めた2013年頃の三陸沿岸を歩いていると、まだ瓦礫の残る被災地は、膨大な数の人間の想い、悲しみ、悔しさ、いろんなものが詰まって混ざり合った空気の中にあって、大地と海が鳴動し、その空気に突き動かされているようだった。

　震災直後のボランティアに行くなんて、気が知れないと思っていた。けれど、最終的にどっぷり通っていたのは自分だった。最初に行った2012年の12月の段階で、マスメディアが喧伝する放射線の線量のイメージにびびって、しばらくなにも食べる気になれなかったのだが、創刊第1号の漁師の阿部貴俊さんの家で、机の上に並ぶ牡蠣料理の数々を見て吹っ切れた。その後、東北の食べものを一つ食べるたびに、東北の風土をあきらかにしていくという使命のようなものを帯びていったように思う。

　東北や三陸という言葉を、北国特有の寒さや、震災による瓦礫と、そのあとを上塗りにした、要塞のように連なる防潮堤のグレーのコンクリートや、真新しいパリッとした人工的な街並み、いまだ解決せぬ原子力発電所の事故のイメージとして認識してほしくないのである。あの100往復がなんだったかというとそれに尽きる。

　そういうグレー一色な一般認識を、日本列島の北緯37度線以北の北国の風土が、実は持っている極彩色のカラーバリエーションで、塗りつぶしてやりたかったのである。復興せねばならないのは、被災地ではなくむしろグレー一色なマインドセットを持ってしまう側の貧相な心の方であろう。『東北食べる通信』が創刊した2013年7月という時期は、それが間に合わなければ、三陸沿岸はグレー一色で覆い尽くされる瀬戸際に瀕していた。

雪国の、並々ならぬ春の喜び

　東北の極彩色に気がついたのは、奥羽山脈の山中、岩手県西和賀町の蕨を取材したときだった。我々は、現地に住むカメラマンであり自然観察指導員でもある瀬川強さんの撮影する写真の数々に息を呑んだ。まだ雪を被っている地表から雪を貫いて生え出てくる草木の芽吹きの生き物らしさを見た時に、日本の他の地域よりも山菜の量が多いことに気がついたのである。降雪量と山菜の収穫量は比例するのではないかという仮説が浮かび上がった。それから、北海道と東北と新潟と長野という北国を除く、温暖な地域では2月に梅が咲いて、3月に桃が、4月に桜が咲き、5月になって新緑という流れだが、北国ではそれらが5月から6月にかけて一遍にやってくるのである。

　長い長い、約半年もある冬を終えて最初に地面に芽吹いてくる越冬植物をスプリング・エフェメラルと呼び、4月になると、まだ溶け始めたばかりの積もった雪を掻き分けながら、カタクリ、ミズバショウなどの野草が生えてくる。その後にワラビ、ゼンマイなどおなじみの食べられる山菜が生えてくるのだ。この、春の勢いの凄まじさを瀬川強さんの写真が見事に表していた。雪に閉ざされている時間が長いことが、約半年ぶりに芽生えてくる草木に、特別な思いを持って迎えるように見えた。初めて見る東北の春は、あまりにも鮮やかだった。それが、雪が減るとどうなるのだろう。雪が少ないというニュースを聞くたびに山菜の量はどうなるのだろうかとハラハラするのである。

ハタハタを連れてくる雷神

　東北の短い夏が過ぎ、秋に差し掛かった頃に行った秋田の風景は、その地名が表している通りで、夕暮れも近づいてくると、全体的に西側に面している日本海から差し込んできた夕陽の色が、黄色く色付いた稲穂に差し込むと黄金色に輝くのである。岩手花巻の蕎麦を取材しているときも、蕎麦の実が夕陽を受けて燃えるようだった。そして稲刈りが終わって、11月に入るとそれまで夏の間、鏡のようにピターッと静まりかえっていた日本海が突如として暴れ出し、大波荒れ狂う世界に変貌する。これは、11月になる頃、はるか対岸のシベリアから南下してくる冬型の気圧配置の

写真：瀬川強

影響で、時化が続き、雷が鳴り響く。この時期が到来すると日本海の沿岸にやってくる魚がハタハタである。

夏の間、日本海の水深２５０ｍの水温１・５℃付近の海域に生息しているこの魚は、季節の変化と共に海面付近の水温が下がると、沿岸部に産卵にやってくるのである。それで、雷が鳴ると姿を現す魚として、魚偏に神をあてて「鰰」と書くようになったという。それはまるで日本海の彼方に雷神様が踊っているかのように思えた。ハタハタを連れてきた冬の雪雲が、長い長い冬の始まりであることを知ったとき、冬の荒れ狂う日本海の底に、美味しいものが眠っているという景色が見えてきた。冬になり、卵を蓄えた魚類の解禁と、脂が乗ったタイミングが重なり美味いのである。冬の東北は、東京から離れれば離れるほど、宝が眠っているように思える。真冬のモノクロームこそ、春夏秋にかけての極彩色を、東北の大地が描く為の最も大事な要素だったのである。

切れた文脈を繋ぐ仕組みも含めてデザイン

『東北食べる通信』は、東北の一次産業の生鮮食品が、付録で届く雑誌である。都市の生活者として、一次産業の生産現場の食べものを、ただ、料理のためのパーツとして受け取るようなメディアにはしたくなかった。19世紀の産業革命を経て近代の流通は、ただ、都会で消費をするだけというライフスタイルを生み出した。中世の人々が苦しんできた、飢えるということからも遠く解放されたが、その反面として、例えば野菜の場合は、その野菜がどうやって育つのか、何故芽吹くのかということを、まったく食べる側に解らなくさせてしまった。大量生産・大量消費というものは、途中の文脈を切除または隠蔽することで効率が最大化されるものなのである。その野菜が育つ土壌に、どのような山があり、どのような海があり、どのような風が吹いているか、ということが食べものの味に直結するということなど、もはや都会で生活していたらなにも解らない。『東北食べる通信』は、都市の生活者の一人である自分が、どのような写真を見たらその風土を理解し、どのようなレイアウトを組み、どのようなレシピがあって、どのようなイラストを描いたら、その全体が掴み取れるかを考え、関係者一同と共にその仕組みからデザインを施したつもりである。

『東北食べる通信』とは

２０１３年７月創刊。毎月１回、独自の哲学やこだわりをもった生産者を特集した情報誌と、彼らが手掛けた食材がセットで届く「食べもの付きの情報誌」。消費者は食材の裏側や作り手の生き様を知り、特集された生産者の食材を楽しみ、生産者と読者のみが参加できるＳＮＳ上のグループや対面イベントで直接交流を行っている。「新しい食のカタチをデザインし、世に発信している」点が評価され、２０１４年度のグッドデザイン金賞を受賞。

監修（原文）　高橋博之
撮　　影　玉利康延　山下雄登（Ｐ１２７～１３３）
　　　　　黒田知範（Ｐ68～75、Ｐ１４４～１４９、料理写真）
取材・文　小林淳一（Ｐ２００～２０３）
　　　　　唐澤理恵（Ｐ２０４～２０５）
イラスト　松井一平
　　　　　川だけ地形地図（Ｐ２０６）
　　　　　https://www.gridscapes.net/AllRiversAllLakesTopography/
編集協力　小林淳一　唐澤理恵
デザイン　白い立体
編集担当　南齋麻緒　福島耕一
協　　力　株式会社ポケットマルシェ

人と食材と東北と

つくると食べるをつなぐ物語　『東北食べる通信』より

２０２１年５月20日　第１刷発行

発行所　株式会社オレンジページ
〒１０５-８５８３　東京都港区新橋４-11-１
電話　０３-３４３６-８４２４（ご意見ダイヤル）
　　　０３-３４３６-８４０４（編集）
　　　０３-３４３６-８４１２（販売　書店専用ダイヤル）
　　　０１２０-５８０７９９（販売　読者注文ダイヤル）

発行人　石川国広

印刷・製本　図書印刷株式会社

ISBN978-4-86593-426-7